35¢

LE NOËL DE CATAMOUNT.

LE NOËL
DE CATAMOUNT

ALBERT BONNEAU

LE NOËL
DE CATAMOUNT

PARIS
ÉDITIONS JULES TALLANDIER
17, rue Remy-Dumoncel (XIVe)

LE NOËL DE CATAMOUNT

CHAPITRE PREMIER

SOUS LA NEIGE

— Dis, maman, pourquoi le Petit Poucet avait-il semé des cailloux derrière lui quand ses parents l'entraînaient avec ses frères pour les perdre dans la forêt ?

— C'était pour mieux se retrouver, mon Pierrot.

— La seconde fois, il n'a pas été aussi malin... Au lieu de jeter des cailloux, il a semé des miettes de pain, les petits oiseaux les ont mangées.

Marie-Claire ne répondait plus, alors l'enfant s'inquiéta ; appuyant sa tête aux cheveux bouclés contre l'épaule de sa compagne, il hasarda :

— Tu as encore mal, maman chérie?...

Elle se raidit, comme si ces paroles l'eussent arrachée à un rêve, puis, malgré tout, s'efforçant de sourire :

— Ce n'est rien, mon Pierrot, assura-t-elle, un tout petit malaise de rien du tout... Ça ne vaut même pas la peine qu'on en parle !

Pierre fit aussitôt la grimace :

— Il commence à se prolonger un peu trop, ce petit malaise, geignit-il. Depuis que nous avons quitté la maison... Et c'est loin déjà !

Marie-Claire voulut esquisser un sourire, mais elle n'eut pas la force de réagir. Une larme perla entre ses longs cils.

— Maman !... Ne pleure pas !... Je ne veux pas que
tu pleures !

Eperdu, l'enfant se blottissait étroitement contre sa
compagne.

— Ce n'est pas moi, au moins, objecta-t-il, qui te
cause tant de chagrin ?...

— Non, mon chéri, s'empressa-t-elle de répliquer
entre deux sanglots, tu sais bien que tu es ma seule
consolation au monde.

Pierrot se sentait toujours de plus en plus intrigué,
ses regards inquiets ne se détachaient plus de sa voisine.

Pendant qu'ils s'immobilisaient ainsi, le train qui les
emportait continuait de parcourir l'immense plaine
blanche, dans le décor hivernal où dans le ciel gris
voltigeaient les flocons de neige innombrables.

Tout d'abord, quand ils avaient pris place dans le
wagon, Pierrot avait battu joyeusement des mains ;
c'était si beau, la neige !... Puis, peu à peu, il s'était
lassé et l'attitude inquiète de Marie-Claire demeurait
maintenant sa seule et unique préoccupation.

Pendant quelques instants, l'enfant put espérer que
sa mère lui donnerait des explications de sa déconcertante attitude, mais elle se reprit brusquement, essuyant
avec son mouchoir les larmes qui mouillaient son
visage aux traits tendus.

— Ne t'inquiète pas, mon chéri, assura-t-elle. Je sens
maintenant que je vais être tout à fait bien !...

Une fois de plus, elle s'efforçait de sourire pour rassurer son fils, mais elle ne parvint toujours pas à dissimuler le pli amer qui lui pinçait les lèvres.

Ils étaient seuls dans cette partie du wagon. De
temps en temps des voyageurs passaient à travers le
couloir central, certains voulaient rejoindre le wagon-
restaurant, d'autres se rendaient à la plate-forme arrière
du convoi d'où ils pouvaient, en dépit du froid, admi-
rer le majestueux décor des Montagnes Rocheuses.

Le train continuait d'avancer à une allure normale ;

bien que la couche de neige se fût accumulée de plus
en plus, elle ne parvenait pas encore à ralentir l'allure
de la locomotive, dont on entendait le halètement régulier tandis qu'elle s'engageait de plus en plus sur les
pentes.

— Madame n'a besoin de rien ?...

Marie-Claire sursauta. Arrachée de nouveau à ses
troublantes pensées, elle se rassura bien vite quand
elle reconnut celui qui venait de lui adresser la parole,
c'était Cham, l'employé noir dont le rôle consistait à
s'occuper des voyageurs et à disposer à chaque arrêt
le tabouret qui leur permettait de quitter le wagon et
de reprendre contact avec le quai.

— Non, merci... Je n'ai besoin de rien pour l'instant, repartit la jeune femme en s'efforçant d'esquisser
un sourire.

— Mais le petit ? insista Cham en désignant la boîte
bien garnie qu'il portait. Chewing-gum ? Bonbons à la
menthe ?...

Jean-Pierre secoua négativement la tête.

— A votre service, fit le noir. D'habitude, les petits
me réclament...

L'enfant ne laissa pas son interlocuteur achever sa
phrase :

— Pardon, protesta-t-il avec force, je ne suis plus un
petit, j'ai cinq ans !... On a fêté mon anniversaire
le mois dernier... Si tu avais vu le gâteau et les cinq
bougies !...

De tels propos eurent pour effet de faire esclaffer le
bon Cham. Il n'insista plus et reprit son va-et-vient
tout le long du couloir central qui permettait d'aller
d'une extrémité à l'autre du train.

Le passage de l'employé avait fait diversion, et Marie-
Claire espérait que son jeune fils ne lui adresserait plus
de questions gênantes ; elle se sentit plus à l'aise quand
elle vit son jeune compagnon se rapprocher de la glace
et dessiner du bout du doigt la silhouette d'un bonhomme dans la buée qui estompait le paysage.

Maintenant, de quelque côté que Pierrot se tournât, c'était toujours le grand linceul blanc de la neige. A la longue, le décor hivernal devenait terriblement monotone.

Des points noirs, très nombreux, retinrent l'attention de l'enfant qui venait, pour mieux voir, d'essuyer la surface de la vitre d'un coup de coude.

— Les corbeaux !... grommela-t-il. Encore les corbeaux !...

Puis, se tournant une fois de plus vers sa maman, il hasarda :

— Eric m'a dit que les corbeaux portent malheur...

— Eric est un mauvais plaisant, répliqua aussitôt Marie-Claire, il a dit certainement cela pour te faire peur et te jouer un mauvais tour !

— Rassure-toi, maman chérie, je n'ai pas peur !...

Puis, bombant avantageusement le torse :

— Si j'avais seulement un fusil, ces maudites bêtes ne feraient certainement pas long feu !...

— Je sais bien que tu es un intrépide chasseur !... se contenta-t-elle d'approuver. Mais il faudra encore attendre quelques années pour pouvoir te servir d'un fusil...

Pierrot fit la moue, puis, tournant délibérément le dos, il appuya son visage contre la vitre.

Marie-Claire se retrouva de nouveau seule avec ses pensées. Une fois de plus, la voyageuse esquissait un retour sur le passé... Des souvenirs pénibles se représentaient de nouveau à son esprit.

Les premières années de la jeune femme avaient été heureuses, ses parents vivaient dans l'aisance. Comme elle était fille unique, elle avait connu une époque ensoleillée et exempte de soucis en France, son pays natal, au petit village voisin de Saumur, qu'elle n'avait jamais oublié.

Il ne semblait pas, à cette heureuse époque, que Marie-Claire pût quitter son pays, quand, alors qu'elle avait seize ans, un double malheur s'acharna contre elle : ses parents succombèrent le même jour, victimes d'un accident.

Cette fois, c'était l'écroulement, la fin du bonheur ; la pauvrette s'était retrouvée isolée dans l'existence. Sa solitude, son manque d'expérience la mettaient en état d'infériorité dans toutes les circonstances de la vie, venant ajouter à sa détresse.

Alors, Moralès était venu. Moralès, un aventurier d'envergure, qui n'avait pas eu de peine à précipiter Marie-Claire au fond de l'abîme où elle se débattait encore.

La voyageuse évoquait, une fois de plus, le riant paysage de Touraine où s'était implacablement consommé son malheur. Elle avait passé sous le porche de la vieille église avec Moralès à son bras, Moralès devenu son mari et dont les belles paroles l'avaient si cyniquement abusée !...

Mariés, les deux époux étaient alors partis pour l'Amérique... Moralès s'affirmait certain de conquérir là-bas une immense fortune, mais il avait dilapidé tout ce que possédait sa jeune femme. Un beau jour, trois mois exactement avant la naissance de Pierrot, l'aventurier avait disparu, abandonnant sa victime à son triste destin.

Accablée de chagrin, mais courageuse malgré tout, Marie-Claire avait voulu persévérer quand même... Et, désormais, elle n'avait plus recherché qu'un but, assurer l'éducation de Pierrot.

Pendant cinq années, la jeune femme n'entendit plus jamais parler de Moralès, mais la blessure ne s'était pas cicatrisée ; elle avait l'intuition qu'elle n'était pas encore au bout de ses épreuves.

Un beau jour, la menace se manifesta. Alors qu'elle travaillait dans un hôtel de Terry, dans le Montana, un homme se présenta et l'infortunée reconnut tout de suite Moralès.

L'aventurier avait paru aussi surpris de cette rencontre que sa victime. Les années qui s'étaient écoulées depuis l'abandon ne semblaient guère avoir avantagé le fugitif. Ses cheveux, d'un noir de jais, avaient fortement blanchi sur les tempes, des rides précoces sillonnaient son visage hâlé.

Dès lors, Moralès s'efforça de convaincre l'infortunée. Il lui proposa de reprendre la vie commune et lui promit de s'amender, mais, cette fois, si éloquent et si pressant qu'il se montrât, elle ne se laissa pas convaincre par ses bonnes paroles.

Peu à peu, d'affable, l'aventurier se fit menaçant. Il réclama Pierrot, donnant deux jours à l'infortunée pour se décider.

Cette fois, Marie-Claire préféra se dérober ; elle partit avec les quelques économies qu'elle avait amassées, emmenant son fils, anxieuse de se mettre hors d'atteinte et de protéger son Pierrot contre les menaces de l'aventurier.

Trois jours et trois nuits s'étaient écoulées... Marie-Claire avait pris le train avec son fils, espérant dépister Moralès; elle allait sans aucun but et sans autre préoccupation que celle de se mettre au plus vite hors d'atteinte.

Jusqu'ici, la fugitive n'avait rien remarqué d'anormal, mais elle s'imaginait bien que son mari ne s'avouerait pas vaincu ; par tous les moyens, il s'efforcerait de la revoir et de lui arracher Pierrot.

En présence d'une telle perspective, l'infortunée ne vivait plus, tout devenait pour elle prétexte à l'angoisse. Chaque fois que le train stoppait, elle appréhendait de se retrouver en présence de Moralès.

Jusqu'ici, Marie-Claire n'avait pourtant rien remarqué d'anormal, les voyageurs qui montaient ou qui quittaient le wagon ne présentaient rien d'insolite, mais cette quiétude prolongée, loin de rassurer la pauvrette, ravivait ses appréhensions.

La jeune femme s'imaginait bien que Moralès pouvait être secondé par des complices qui ne s'embarrassaient pas de scrupules. D'autres, par ses soins, pouvaient s'être lancés sur la piste de la fugitive et de l'enfant... De là, ces constantes alarmes et ces alertes qui faisaient précipiter les battements de son cœur.

Certes, Marie-Claire s'était bien gardée de révéler à Pierrot les véritables raisons de cette dérobade précipitée ; à quoi bon alarmer l'enfant qui s'étonnait de plus en plus des appréhensions que manifestait sa compagne.

Et le train continuait de s'engager à travers la plaine couverte de son épais linceul neigeux. D'un côté, c'était la vaste plaine de la Snake River qui s'étalait à perte de vue, estompée par les tourbillons de neige ; de l'autre, en partie dissimulée, l'imposante masse rocheuse des Sawtooth-Mountains, les montagnes en dents de scie.

Pierrot demeurait encore à la même place, le visage toujours collé contre la vitre. En présence de ce décor d'une immaculée blancheur, l'enfant rêvait de glissades et de bonshommes de neige... Et, comme il laissait passer sa langue entre ses lèvres et la promenait sur la vitre :

— Voyons, Pierrot ! reprocha Marie-Claire. Les enfants bien élevés ne lèchent pas les vitres. C'est très malpropre !...

L'enfant fit la moue et fronça légèrement les sourcils. Sa maman lui avait parlé d'un ton réprobateur, et comme il était susceptible, il se sentait prêt à éclater en sanglots... L'apparition de Cham qui poursuivait ses allées et venues d'un bout à l'autre du couloir central suffit à rappeler Pierrot à la saine raison.

— C'est que c'est bien long !... hasarda-t-il, pour s'excuser, en se tournant vers sa mère.

Marie-Claire ne put qu'acquiescer d'un signe de tête.

— Pour moi aussi, ç'est bien long, convint-elle, pourtant je ne cherche pas à me plaindre comme un bébé capricieux.

Pierrot parut alors un tantinet convaincu. Pendant

quelques instants il se tut, puis, incapable de se retenir, il hasarda :

— Mais pourquoi as-tu toujours l'air d'avoir peur,
maman ? dit-il en attardant ses grands yeux noirs sur
son interlocutrice.

Ils s'immobilisèrent face à face. Alors, l'enfant de
surenchérir :

— Tu es si jolie, ma maman, quand tu souris !...

— C'est possible, admit-elle, flattée, mais la vie a
ses surprises, on ne peut pas sourire tout le temps !...

Elle était charmante, en effet, Marie-Claire, en dépit
de sa tenue plutôt sobre et modeste. Elle avait les
mêmes yeux noirs que son fils, ces regards étonnam-
ment expressifs... Son visage à la peau très blanche,
aux joues veloutées, contrastait avec le teint mat du
jeune garçon. Entre ses doigts nerveux, elle tournait
et retournait ses gants.

— Pourquoi continues-tu à me cacher quelque
chose ? reprocha Pierrot. Ne suis-je pas assez grand
pour comprendre ?...

L'insistance de l'enfant embarrassait terriblement son
interlocutrice. Pierrot n'avait jamais vu son père, il
s'était déjà étonné de n'avoir pas un papa comme les
autres, mais Marie-Claire s'était dérobée à ses questions
embarrasantes en lui déclarant que son papa était parti
pour un si long voyage qu'il ne reviendrait jamais
plus...

Soudain, le train ralentit son allure. La locomotive
siffla à trois reprises. On approchait d'une nouvelle
station. Déjà la cloche se remettait à tinter, comme
elle faisait avant chaque arrêt. Et Pierrot s'étonna, une
fois de plus, à voir s'altérer le masque de sa compagne,
comme si elle appréhendait quelque danger.

Les roues des wagons grincèrent désagréablement sur
les rails, il se fit une nouvelle secousse, puis le convoi
stoppa auprès du quai où quelques silhouettes hâtives
se déplaçaient sous la neige.

Cham s'empressait avec l'escabeau qui devait per-

mettre aux voyageurs de monter dans le wagon. Tout
auprès, la locomotive s'entourait d'un épais nuage de
vapeur.

L'enfant s'amusa à regarder les voyageurs.

— Ils sont trois à descendre, précisa-t-il à sa
mère.

Puis, après avoir hasardé un nouveau coup d'œil, il
poursuivit :

— Il y en a deux qui montent...

Un bruit de voix, qui se faisait entendre à l'extrémité du wagon, domina le halètement de la locomotive. Frileusement engoncés dans leurs vêtements
chauds, deux hommes parurent et s'aventurèrent à travers le couloir.

Déjà un employé lançait un coup de sifflet pour
activer le départ du train. Le premier voyageur s'empressait d'occuper une place dans un coin.

C'était un grand escogriffe qui portait un manteau
quelque peu rapiécé ; à peine installé, il quitta ses
bottes toutes couvertes de neige, puis étendit ses pieds
chaussés de gros bas de laine sur le siège qui lui faisait
face.

Marie-Claire se sentit quelque peu rassurée. Elle se
dit qu'il devait s'agir là de quelque *cowpuncher* en
quête d'un *job*. Fermant les yeux, le nouveau venu ne
s'arrêtait plus de mâcher un chewing-gum.

Mais l'attention de la jeune femme se porta bien vite
sur le second voyageur. Engoncé dans une confortable
canadienne, un bonnet de loutre rabattu sur son front,
le nouveau venu venait de passer devant Cham qui
s'effaçait pour le laisser choisir sa place.

Pierrot regardait, lui aussi, le voyageur. Parvenu à
quelques pas, l'inconnu s'arrêta, secouant la neige qui
recouvrait encore sa canadienne, puis se tournant vers
Marie-Claire, il demanda en désignant un siège tout
proche :

— Cette place est-elle occupée ?

L'interpellée secoua négativement la tête. Alors, sans

plus attendre, l'homme s'installa. Il n'avait pas de
bagage ; en quelques instants, il se débarrassa de sa
coiffure, découvrant une abondante chevelure blonde où
se détachaient quelques fils d'argent.

Pierrot ne perdait pas un seul mouvement de son
nouveau voisin. Ce qui le frappa surtout, ce furent les
regards clairs que le voyageur inconnu attardait maintenant sur sa mère et sur lui.

De son côté, Marie-Claire n'avait pas sourcillé, elle
observait l'étranger qui continuait de se mettre à l'aise
et de se dévêtir pendant que Cham vérifiait son ticket.
La jeune femme surprit l'expression énergique qui s'étalait sur le visage rasé de frais et que les rigueurs de la
bise avaient quelque peu empourpré.

L'homme ne parut pas autrement embarrassé par la
curiosité que manifestaient la mère et le fils à son
égard. Portant la main à sa contre-poche, il demanda :

— La fumée ne vous incommode pas, madame ?

— En aucune façon ! repartit aussitôt Marie-Claire.

— Dans ces conditions...

L'inconnu n'acheva pas sa phrase, prenant son briquet, il alluma une cigarette qu'il venait de choisir
dans son étui. Pierrot ne le quittait pas des yeux et
sa mère sentait peu à peu s'amenuiser la méfiance
qu'elle avait tout d'abord éprouvée ; l'homme à la
canadienne n'avait évidemment pas les allures équivoques d'un bandit ou d'un coupeur de routes.

Le train reprit son avance ; après avoir quitté la station ensevelie sous son manteau blanc, il se remit à
longer les pentes montagneuses et à s'écarter de plus
en plus de la plaine de la Snake River.

Pendant un certain temps, ce fut encore le silence.
Pierrot ne se lassait pas d'observer son nouveau compagnon de voyage. Immobile, les paupières mi-closes,
l'homme à la canadienne laissait filtrer une mince
volute de fumée entre ses lèvres minces que le froid
avait quelque peu gercées.

Marie-Claire affectait de sommeiller, mais de temps à

autre, elle hasardait un coup d'œil en direction de son voisin.

Ce fut Pierrot qui, le premier, rompit le silence.

— Il tombe beaucoup de neige... hasarda-t-il en s'installant à côté de l'inconnu qui achevait de fumer sa cigarette.

— Oui, beaucoup, mon petit bonhomme...

L'enfant de reprendre alors :

— C'est insensé ce que les corbeaux sont nombreux !

— Oui, très nombreux...

— Voyons, Pierrot, intervint alors Marie-Claire, tiens-toi tranquille ! Tu ennuies Monsieur.

— Mais pas du tout ! s'empressa de protester l'homme à la canadienne.

Pierrot s'enhardit alors et surenchérit :

— Il y a une chose qui m'étonne beaucoup...

— Laquelle ?

— On m'avait dit que c'était là le pays des Indiens !

— On avait raison de te dire cela, riposta le voyageur ; c'était en effet le pays des Indiens. Il y a cinquante ans, ils régnaient encore là en maîtres.

— Alors, s'étonna Pierrot, pourquoi n'en aperçoit-on pas un seul aujourd'hui ?

Le voyageur parut de plus en plus amusé par les réflexions de son jeune voisin.

— Tout d'abord, répondit-il, on ne voit pas d'Indiens parce qu'il fait aujourd'hui un temps à ne pas mettre un Indien dehors. Et puis aussi parce que les cavaliers rouges ont disparu. A la belle saison, c'est à peine si tu pourrais remarquer aux stations quelques rares Pieds-Noirs et quelques aussi rares Nez-Percés. Et ces malheureux ressemblent beaucoup plus à des vagabonds qu'à de fiers guerriers.

L'enfant fit la grimace :

— C'est dommage, regretta-t-il. Ils devaient être si beaux avec leurs coiffures de plumes d'aigle !

Et l'autre de surenchérir en haussant lentement les épaules :

— Il paraît que c'est là l'inévitable rançon du progrès !... Alors, puisque nous n'y pouvons rien, toi et moi, mieux vaut laisser faire !

Tout en prononçant ces mots, le voyageur avait choisi une autre cigarette, et comme il tirait encore son briquet de sa poche :

— Oh ! monsieur, hasarda Pierrot, le regard brillant. Pourriez-vous me permettre d'allumer votre cigarette ?

— Mon Dieu, consentit-il, s'il n'y a que ça pour te faire plaisir !...

— Pierrot ! reprocha alors Marie-Claire. Je t'en prie ! Tu ennuies Monsieur...

— Mais pas du tout ! protesta l'homme à la canadienne, il ne m'ennuie pas, au contraire ! Votre petit bonhomme me semble particulièrement intelligent et sympathique. De plus, bavarder un peu permet de rompre avec la monotonie du voyage.

L'enfant esquissa un sourire ravi à l'adresse de sa mère.

— Ah ! fit-il, tu vois bien !...

Sans plus attendre, il se remit à parler, enchanté de trouver un interlocuteur.

CHAPITRE II

COMPAGNONS DE VOYAGE

Marie-Claire ne savait trop qu penser de l'attitude complaisante de ce compagnon de voyage imprévu. Dès le premier abord, l'homme à la canadienne avait produit sur elle une bonne impression, mais depuis qu'elle fuyait et qu'elle s'acharnait à dépister Moralès, la jeune femme était devenue beaucoup plus méfiante. Elle craignait pour son fils et se méfiait plus que jamais des bonnes paroles qu'elle estimait encore plus dangereuses que des menaces...

Au bout d'un moment, Marie-Claire se décida à interrompre l'enfant, qui ne s'arrêtait plus de parler :

— Voyons, Pierrot, arrête-toi un peu. Tu ennuies Monsieur.

Le voyageur s'empressa aussitôt de protester :

— Rassurez-vous, madame, je vous déjà dit, votre petit bonhomme ne m'ennuie pas, bien au contraire !... Ce n'est d'ailleurs pas si souvent que j'ai l'occasion de rencontrer un aussi sympathique compagnon de voyage !

L'homme s'était exprimé posément, et la jeune femme sentit de nouveau ses appréhensions s'amenuiser. Le ton qu'employait son voisin inconnu s'affirmait à la fois sincère et cordial.

Le train continuait de s'éloigner vers l'ouest, il longeait maintenant les premières pentes des montagnes et ralentissait quelque peu son allure. Et bientôt Pierrot ne put s'empêcher de s'exclamer :

— Et si la neige tombait pendant des heures encore, peut-être contraindrait-elle le train à stopper ?

Le voyageur secoua approbativement la tête :

— Le fait s'est déjà produit, déclara-t-il. Toutefois, je crois que nous atteindrons Boise sans accident.

— C'est encore loin, Boise ? interrogea l'enfant dont la faconde semblait toujours intarissable.

— Une soixantaine de milles, tout au plus !... C'est-à-dire qu'en temps normal on ne mettrait pas une heure à couvrir le trajet. Mais il faut toujours compter avec l'imprévu... Au pied des Rockies, l'homme propose et les éléments disposent...

Pierrot fit la grimace, il trouvait que le train n'allait pas assez vite à son gré. La locomotive, qui abordait une montée assez raide, haletait comme un cheval poussif.

De part et d'autre de la voie, le brouillard se faisait maintenant plus opaque, et la neige continuait toujours de tomber, restreignant singulièrement l'horizon.

Soudain l'enfant, qui collait de nouveau son visage contre la vitre en partie couverte de buée, poussa une exclamation. Un oiseau venait de s'envoler tout près de la voie.

— Un faisan à queue recourbée, précisa le voyageur. Est-il joli ? L'hiver n'est pas sa saison préférée, et les braconniers le savent bien. Il y a aussi les grouses bleues.

Pierrot s'intéressait en même temps qu'il s'étonnait des propos que lui tenait ce complaisant compagnon de voyage.

— On voit bien que vous êtes du pays ! s'exclama-t-il bientôt.

Il s'arrêta brusquement, constatant que son interlocuteur secouait négativement la tête.

— Je ne suis pas du pays, précisa l'inconnu. Je viens du Texas !...

— Du Texas ?...

Ce n'était certes pas la première fois que Pierrot entendait prononcer ce nom-là.

— C'est un pays où l'on rencontre des cow-boys et des Indiens ? hasarda-t-il.

— Des cow-boys et des Indiens, approuva l'homme à la canadienne, et bien d'autres choses encore... Du pétrole, par exemple.

Mais ce fut cette fois au tour du voyageur de demander à son jeune interlocuteur :

— Tu es Canadien, sans doute ? hasarda-t-il. On le dirait à ton accent.

— Je suis Français, repartit fièrement Pierrot. Vous savez que la France est un beau pays ?

Le voyageur le savait aussi, et pour amuser l'enfant, il se mit à parler français, mais de si maladroite façon que Pierrot ne put s'empêcher d'éclater de rire.

Marie-Claire, pendant ce temps, demeurait toujours immobile et réticente. Si l'attitude et les propos de l'inconnu avaient complètement émoussé sa méfiance, la jeune femme se sentait toujours profondément intriguée. Elle trouvait que son voisin se montrait un homme bien différent des autres. L'inconnu ne semblait pas s'inquiéter de la curiosité qu'il venait d'éveiller chez la fugitive.

— Tout ce que je sais en français, ajouta-t-il, je l'ai appris au Canada avec les cavaliers de la police montée.

En entendant prononcer le seul mot de police, Marie-Claire n'avait pu réprimer un tressaillement.

— Alors, vous connaissez les cavaliers de la police montée ? demanda Pierrot que son mystérieux compagnon de voyage semblait intéresser de plus en plus.

— Je les connais et je les estime, se contenta de répondre le voyageur, ce sont des gaillards qui n'ont pas froid aux yeux.

— Ils poursuivent les bandits et les voleurs ? surenchérit l'enfant dont les regards s'allumèrent.

— Ils poursuivent, en effet, les bandits de toutes

sortes, confirma le voyageur. Malheur à celui dont ils
suivent la piste !... Ils finissent toujours par le rejoindre
en dépit des pires obstacles et justice est bientôt
faite !

Marie-Claire ne quittait toujours pas des yeux
l'homme à la canadienne ; elle semblait fort impres-
sionnée par le calme et le sang-froid que manifestait
l'interlocuteur de Pierrot.

Il se fit un bref silence, qu'interrompit bientôt l'enfant. Brusquement, il se redressa et se hissa sur son
siège.

— Sois sage, Pierrot, intervint alors Marie-Claire.

Et comme son fils se haussait sur la pointe des pieds
pour prendre un petit sac de cuir déposé dans le filet
avec les autres bagages :

— Les santons ! demanda-t-il. Je veux montrer mes
santons à Monsieur !...

En quelques instants Pierrot réussit à s'emparer du
sac avec l'aide de sa mère qui s'était aussitôt levée.

L'homme à la canadienne s'écarta légèrement pour
laisser un peu plus de place à son jeune voisin qui
s'affairait maintenant à ouvrir le sac de cuir noir qu'il
venait de récupérer.

— Vous savez ce que c'est qu'un santon ?... demanda-t-il au voyageur.

— A mon profond regret, répondit l'autre, j'ignore
absolument ce que c'est qu'un santon !...

— Eh bien ! vous allez voir !...

L'enfant semblait triomphant de trouver enfin
quelque chose à apprendre à son compagnon de voyage ;
plongeant la main à l'intérieur du sac, il se mit à chercher, puis il exhiba soigneusement entre le pouce et
l'index une figurine en terre cuite finement peinte.

— Voici Melchior, un des rois mages, présenta-t-il.
Est-il beau avec sa couronne ?

Le voyageur poussa un grognement approbateur, il
prit délicatement le personnage que lui tendait son
jeune interlocuteur.

— Dans quinze jours, ce sera Noël, surenchérit Pierrot. Et nous ferons la crèche, maman et moi.

Maintenant, tour à tour, il sortait du sac d'autres figurines. Après un enfant Jésus tout rose et tout potelé, il présenta tour à tour la Vierge et saint Joseph, puis sortit Gaspard, le second roi mage, des pâtres, et d'autres figurines toutes fraîches émoulues de Provence, Balthazar, le vieux berger, Farimou, le meunier, le rémouleur, M. le maire nanti de sa lanterne et ceint d'une magnifique écharpe tricolore.

Tous ces bonshommes s'alignaient maintenant le long de la vitre, ils semblaient quelque peu dépaysés dans ce décor de neige.

— La veille de Noël, poursuivit Pierrot, ravi de l'intérêt qu'il venait d'éveiller chez son interlocuteur, maman et moi nous construirons la crèche. Et les santons se retrouveront autour du petit Jésus.

Une ombre passa à cet instant dans les prunelles de Marie-Claire, l'infortunée se garda bien d'éveiller des inquiétudes chez son enfant, mais la question se posait à son esprit enfiévré, plus angoissante que jamais.

Où seraient-ils dans quinze jours, l'un et l'autre ? Jusqu'ici, ils avaient pu s'éloigner sans incident, mais le souvenir de Moralès s'imposait toujours, implacable, à l'infortunée. Elle connaissait trop l'aventurier pour se dire qu'il ne consentirait jamais à s'avouer vaincu. Et s'il voulait rejoindre Pierrot, il réussirait certainement, tôt ou tard, à les rattraper.

Une fois de plus, Marie-Claire se sentit frémir à cette perspective ; elle se trouvait plus faible que jamais...

Un peu plus loin, le cow-boy continuait de dormir et de ronfler. Adossé à la porte du fond, Cham s'affairait à se nettoyer les ongles avec une lime de poche.

Certes, pour l'instant, la jeune femme comprenait qu'elle n'avait rien à craindre, mais le très proche avenir lui apparaissait plus menaçant que jamais...

La fugitive s'efforça pourtant de réagir ; elle surprit les regards clairs de l'homme à la canadienne qui s'attardaient brusquement sur elle et qui semblaient devoir surprendre ses plus secrètes pensées.

Malgré tous ses efforts, l'infortunée ne parvenait pas à dissimuler les angoisses et les appréhensions qui l'accaparaient constamment tout entière. En dépit du calme dont faisait preuve le voyageur, elle comprit qu'il avait deviné son trouble.

— Vous n'êtes pas souffrante, madame ? interrogea-t-il d'ailleurs bientôt.

— En aucune façon ! répondit-elle, d'une voix qu'elle s'efforçait de rendre calme.

Jean-Pierre, tout à ses santons, ne soupçonnait toujours pas le drame dont il demeurait à vrai dire l'acteur principal. Il s'amusait à aligner ses personnages et Marie-Claire lui recommanda bientôt :

— Range tes santons, Pierrot !... Tu risques de les casser !...

— Pas de danger, maman ! repartit aussitôt l'enfant.

Mais l'homme à la canadienne de surenchérir :

— Ta maman a raison, mon petit bonhomme... Tu ferais mieux de ranger tes santons !... Ils sont si jolis !

Docile, Pierrot s'exécuta. Pendant un court moment, l'inconnu se remit à fumer, mais ses regards clairs s'arrêtaient souvent sur sa compagne. En dépit de l'indifférence et du calme qu'il affectait, il se rendait compte du complet désarroi de Marie-Claire.

Le train ralentit une fois de plus, aussi l'enfant se redressa-t-il brusquement :

— Nous arrivons à Boise ? interrogea-t-il en s'adressant à son voisin.

— Pas encore, répondit l'inconnu.

— Un drôle de nom, Boise ! surenchérit Pierrot.

— Je vais te dire dans quelles conditions la petite agglomération où va s'arrêter le train a été appelée Boise. C'est un Canadien français qui, après avoir effectué une longue randonnée à travers les régions arides de

l'Ouest, aperçut enfin un coin vert et ombreux qu'il
appela Boise, — les Bois, — avant de s'y installer pour
y achever paisiblement son existence...

La cloche de la locomotive retentit une fois de plus,
trois sifflements aigus se firent entendre ; quelques
minutes plus tard, le train stoppait.

— Ici, c'est Weston ! précisa l'homme à la canadienne.

Quelques ombres vagues se déplaçaient sur le quai de
la petite gare. Cham s'empressa de regagner son poste
afin de faire monter les voyageurs, engoncés dans leurs
chauds manteaux et dans leurs fourrures.

Pour mieux voir, Pierrot avait de nouveau essuyé la
vitre d'un coup de coude. A travers les tourbillons de
neige qui recouvraient sans cesse les quais, il aperçut
deux silhouettes furtives.

L'un après l'autre, les nouveaux venus se hissèrent
dans le couloir, grâce à l'aide empressée de Cham. Et,
quelques instants plus tard, ils apparaissaient à l'extrémité du couloir central.

— Brr !... Quel froid !...

Avant de pénétrer à l'intérieur du wagon, les nouveaux venus secouaient l'abondante neige qui s'était éta-
lée sur leurs manteaux. Marie-Claire, qui les observait,
put se rendre compte qu'ils étaient l'un et l'autre de
taille moyenne, mais, tandis que le premier arborait
une sorte de bandeau noir qui lui dissimulait l'œil
droit, l'autre traînait fortement la jambe.

— Enfin, on va pouvoir se réchauffer !...

Une secousse brutale se produisit, les deux hommes
durent se retenir au dos des sièges pour ne point perdre
l'équilibre ; derrière eux, Cham récupérait l'escabeau,
tandis que le train s'ébranlait de nouveau au coup de
sifflet du chef de station.

— Attention aux avalanches !... cria un employé
demeuré sur le quai, sous la neige sans cesse tourbil-
lonnante.

Les deux voyageurs s'installèrent auprès du cow-boy,

qui s'était arrêté de ronfler et qui les gratifiait d'un rapide coup d'œil.

Pierrot se tourna de nouveau vers l'homme à la canadienne. Il avait surpris les quelques mots qu'avait lancés l'employé de Weston au passage du train.

— Des avalanches ? Qu'est-ce que c'est ? interrogeat-il en s'adressant de nouveau à son voisin.

— Sois tranquille, Pierrot, intervint alors la jeune femme. Tu ennuies Monsieur !...

— Mais pas du tout ! protesta le voyageur. Je vous assure !...

Puis, passant une main caressante dans la chevelure de l'enfant, il hasarda :

— Tu vois les montagnes qui s'élèvent sur notre droite ?... Il neige tant que c'est à peine si on les devine...

Pierrot secoua approbativement la tête. Et son interlocuteur de continuer :

— Il arrive parfois, quand persistent les chutes de neige, que d'énormes masses se détachent sur les pentes montagneuses et viennent s'écraser au pied des contreforts...

L'enfant ouvrait de grands yeux intrigués.

— Mais, alors, on risque d'être écrasé ?

— Imagine-toi cet éboulis neigeux dévalant sans merci et écrasant tout ce qui se trouve sur son passage...

Une ombre passa dans le regard de Marie-Claire, mais, avant qu'elle eût pu lui poser une question, l'homme à la canadienne s'empressa de dire :

— Rassurez-vous !... Nous avons quatre-vingt-dix-neuf chances sur cent d'éviter pareil accident !...

— Croyez-moi, intervint alors une voix, j'ai l'impression que vous vous montrez un peu trop optimiste ! En ce qui me concerne, je dirais que nous avons une chance sur deux. Ni plus, ni moins !

C'était l'homme au bandeau noir qui venait de prononcer ces mots ; il semblait enchanté de trouver l'occasion d'engager la conversation. Son compagnon approchait, lui aussi.

Marie-Claire fronça les sourcils. L'homme à la canadienne put surprendre à cet instant l'expression d'inquiétude qui assombrit de nouveau ses regards.

C'était, certes, la première fois que la jeune femme se trouvait en présence du borgne ; néanmoins, elle ne parvenait pas à surmonter la fâcheuse impression que provoquait chez elle l'intervention intempestive du nouveau venu.

Pierrot fit la moue. Il ne semblait pas apprécier, lui non plus, l'apparition des inconnus. Il était loin d'éprouver à cet instant le même intérêt qu'il avait manifesté quand l'homme à la canadienne avait pris place auprès d'eux.

En quelques instants, le borgne monopolisa la conversation. Il ne se lassait plus de raconter des histoires d'avalanches dont il avait été le témoin dans les régions voisines des Rockies. Et tout cela s'accompagnait de grands gestes et d'éclats de voix que le boiteux, moins expansif, se contentait d'accueillir par de brefs hochements de tête.

Marie-Claire commençait à se lasser de la faconde dont faisait preuve l'importun ; elle se rendait compte de l'impression déplorable que ces histoires provoquaient chez Pierrot. Elle allait intervenir quand l'homme à la canadienne la devança :

— Je crois, fit-il observer, qu'il serait plus sage de parler d'autre chose !... Notre petit bonhomme pourrait prendre tout cela au tragique !...

Le borgne pinça les lèvres.

— Comme vous voudrez ! murmura-t-il, visiblement dépité d'être ainsi interrompu.

Un éternuement qui éclata dans le voisinage immédiat fit sursauter Marie-Claire et ses voisins. Intrigués, ils se redressèrent.

Le *cowpuncher* s'arrachait enfin à son sommeil, après avoir éternué deux fois encore, les paupières encore toutes bouffies de sommeil.

— Dieu vous bénisse !... fit, non sans quelque ironie, l'homme à la canadienne.

— Grand merci ! Vous êtes bien aimable ! répondit l'homme. On s'enrhume, par un temps pareil !...

Puis, après s'être mouché à plusieurs reprises dans un ample mouchoir à carreaux bleus et jaunes, il se rapprocha à son tour du petit groupe.

— Une idée, proposa-t-il. On pourrait jouer aux cartes pour tromper le temps. Avant que nous soyons arrivés à Boise...

Tout en prononçant ces mots, il tirait d'une des poches de son pantalon de velours un jeu de cartes tout crasseux.

— Alors, insista-t-il, ça vous dit quelque chose ?...

Le borgne, aussitôt, fit la grimace et son compagnon s'empressa de suivre son exemple.

— Et vous ? proposa le cow-boy, déçu, en se tournant vers l'homme à la canadienne.

Pierrot fit la moue. Il en voulait à l'importun d'accaparer le compagnon imprévu qui lui avait déjà raconté tant de choses intéressantes.

Le visage de l'enfant s'épanouit quand il entendit l'inconnu refuser :

— Une cigarette si tu veux, *old boy*, mais je déteste jouer aux cartes !...

— Dans ces conditions...

Le cow-boy n'eut pas le loisir d'achever sa phrase : une secousse se produisit aussitôt, violente, irrésistible. Avant d'avoir eu le temps de se retenir, les voyageurs se sentirent précipités brutalement les uns contre les autres, puis les ténèbres se firent. Le train avait cessé d'avancer et, bientôt, on n'entendit plus, sous la neige qui ne cessait de tomber, que des appels éperdus. En

quelques instants, le train avait disparu, englouti sous
une masse énorme de neige qui venait de dégringoler
des montagnes voisines et de couper la voie ferrée. On
pouvait attendre en gare de Boise, le convoi n'arriverait
pas ce jour-là !...

CHAPITRE III

APPRÈS L'AVALANCHE

— Maman !... Où es-tu ?... Réponds-moi !...

Pierrot appelait avec des sanglots dans la voix. A peine revenu de la rude secousse qui l'avait précipité à l'extrémité même du wagon, il s'efforçait de retrouver Marie-Claire.

— Maman !... Au secours !... J'ai mal !...

Cette fois, l'infortuné ne pouvait plus se contenir : il éclata en sanglots. Un peu de sang coulait sur sa joue droite, qui avait été coupée par un éclat de vitre.

— Allons, *my boy !*... Ne pleure pas !...

Pierrot se retourna. Il aperçut aussitôt, à la capricieuse clarté d'une lampe électrique de poche, l'homme à la canadienne, qui s'efforçait de le rejoindre.

— Maman !... Où est maman ? interrogea l'enfant, éperdu.

— Un peu de patience, repartit aussitôt le voyageur. Nous la retrouverons, ta maman !...

— Vous croyez ? fit l'infortuné, en s'arrêtant de pleurer.

Apercevant ensuite le visage meurtri de l'inconnu, l'enfant ne put se retenir de demander :

— Vous êtes blessé ?

— Ne t'inquiète pas !... Il s'agit là d'un simple bobo sans la moindre importance.

L'homme lui tendant sa main, Pierrot répondit aussitôt à son geste ; il sentit les doigts nerveux qui se refermaient autour de son poignet et, quelques instants plus tard, l'homme à la canadienne l'attirait jusqu'à lui.

Pendant quelques instants, l'étranger considéra son jeune compagnon, lui palpant les membres. Et, comme de grosses larmes perlaient encore aux paupières du jeune garçon, il s'empressa de le rassurer :

— Sois tranquille !... Tu n'as rien de cassé, et c'est l'essentiel !...

— Mais maman ? reprit alors Pierrot, oubliant sa propre situation nour ne plus penser qu'à la disparue. Où est-elle ?... Qu'est-elle devenue ?

— Un peu de patience !... Nous allons la chercher, ta maman !... Elle ne saurait être bien loin !

D'un rapide coup d'œil, le voyageur, toujours nanti de sa lampe, put constater que le wagon dans lequel il se trouvait avait été couché sur le flanc droit. Il reposait ainsi sur la voie. Dans l'obscurité qui régnait à l'intérieur du refuge, il se rendit compte que la voiture se trouvait ensevelie sous une couche profonde de neige.

— Brr !... murmura-t-il en frissonnant. On gèle ici !

L'homme à la canadienne essuya d'un revers de manche le sang qui coulait sur son visage, coupé en plusieurs endroits. Il allait reprendre ses investigations, quand une plainte lui parvint.

— Au secours ! zézayait une voix.

Affalés dans une encoignure du wagon, le voyageur aperçut une forme confuse qu'il identifia aussitôt : c'était Cham, l'employé noir, qui tentait de se relever.

— Courage, *old boy !* cria le voyageur. Me voilà !

Le masque crispé du noir s'épanouit ; il avait perdu sa casquette et s'était heurté le front au cours du choc qui avait renversé la voiture.

En quelques instants, l'homme à la canadienne réussit à remettre sur pieds l'infortuné, qui ne cessait de geindre et de se lamenter.

— Tu n'as rien de cassé, toi non plus, repartit le voyageur. Suis-moi, et vivement !...

Ils se mirent à chercher, trébuchant à travers les

débris de vitre et les quelques bagages qui s'étaient
éparpillés au hasard.

Pierrot s'était de nouveau rapproché, puis, prenant la
manche de l'inconnu, il insistait avec angoisse :

— Maman !... implorait-il. Où est maman ?...

— Un peu de sang-froid ! conseilla l'homme à la
canadienne. Je croyais que tu étais un homme...

Ces quelques mots firent à l'enfant l'effet d'un véritable coup de fouet.

— Pardon ! objecta-t-il en serrant les poings. Je ne
suis plus un gosse !

Piqué au vif, Pierrot allait protester encore quand
une plainte légère se fit entendre.

— Courage ! cria aussitôt l'homme à la canadienne.
Nous voici !

— Maman !...

Pierrot reconnaissait la voix de sa mère ; mais, déjà,
son compagnon s'empressait de se porter au secours de
la fugitive.

Marie-Claire avait été précipitée sous une banquette,
à la suite de l'irrésistible secousse ; son front avait porté
contre un siège et la douleur l'avait étourdie. Maintenant, elle essayait de se remettre. Ses regards s'éclai-
rèrent quand elle reconnut son enfant.

— Pierrot !... Mon petit Pierrot !...

— Maman chérie !...

Pendant quelques instants, ils demeurèrent étroitement enlacés. Marie-Claire couvrait de baisers le visage
meurtri de son enfant.

Une rapide inspection permit au voyageur de constater que l'infortunée n'avait, elle aussi, que des bles-
sures superficielles. Quelques coupures ensanglantaient
son visage, mais, bien qu'elle se plaignît de douleurs
aux hanches et aux genoux, elle se tirait à bon compte
de la secousse irrésistible qui l'avait envoyée choir
là.

Peu à peu, les rescapés reprenaient conscience de la
situation. Cham participait aux recherches ; en peu de

temps, il ramena le cow-boy, encore tout étourdi, et, bientôt, deux ombres se redressèrent à l'autre extrémité du wagon : le boiteux et le borgne s'en tiraient également avec quelques coupures sans gravité.

— Nous l'avons échappé belle ! fit l'homme à la canadienne.

Et, avant même que ses compagnons pussent hasarder un seul mot, il ajouta :

— Le train a été enseveli sous une avalanche ! Reste à savoir si les autres voyageurs ont eu autant de chance que nous !...

Laissant Marie-Claire auprès de son fils, qu'elle enlaçait toujours étroitement, l'inconnu rallia les quatre rescapés, qui ne semblaient pas encore tout à fait remis de la secousse.

— On pourrait essayer de sortir par là, hasarda le noir, en désignant une fente assez large, qui laissait filtrer un peu de jour.

— Excellente idée ! approuva le cow-boy, tout en passant la main sur son crâne meurtri.

— Essayons toujours...

Non sans peine, risquant à toute seconde de perdre l'équilibre, les cinq hommes s'efforcèrent de quitter leur refuge. Le premier, l'homme à la canadienne se hissa à l'extrémité du couloir, puis, exécutant un rapide rétablissement, il s'engagea à travers la fente.

Le voyageur dut s'y remettre à plusieurs reprises avant de se dégager de l'épais linceul de neige qui recouvrait le wagon ; quand il parvint enfin à se faufiler au dehors, il ferma les yeux, aveuglé par la réverbération du soleil sur l'immense étendue blanche qui entourait le train de toutes parts.

Pendant quelques instants, le voyageur s'immobilisa pour reprendre son souffle. Un énorme éboulis de neige s'était abattu sur la voie, faisant basculer le train tout entier.

De sa place, l'homme à la canadienne pouvait maintenant apercevoir des silhouettes qui se déplaçaient sur la

neige. Voyageurs et employés essayaient de se dégager
du convoi, dont toutes les voitures avaient été renver-
sées, puis ensevelies sous l'avalanche.

Seule la locomotive apparaissait ; un nuage de fumée
noire s'échappait de sa cheminée, légèrement penchée
sur le côté droit.

— Alors, que se passe-t-il ?

La voix zézayante de Cham empêcha le voyageur de
regarder plus longtemps.

— C'est bien ce que je pensais ! cria-t-il. L'avalanche...

Mais, déjà, Cham se hissait auprès de lui ; unissant
leurs efforts, les cinq compagnons parvinrent à se faufiler au dehors.

Une cinquantaine de voyageurs avaient réussi jusqu'ici à sortir de leurs refuges. Sous la neige et sous
les bourrasques de vent qui leur coupaient le visage, les
rescapés s'efforçaient d'organiser les secours et de parer
au plus pressé.

— Vite !... Hâtons-nous !...

Tous les cinq s'aventurèrent à la file. Les autres les
avaient repérés. Enfonçant dans la neige, dont la
couche épaisse leur montait parfois jusqu'aux genoux,
ils trébuchaient, chancelaient, se tendant la main les
uns aux autres quand ils se trouvaient en difficulté. En
dépit du froid très vif, ils étaient en nage quand ils réussirent à rejoindre un contrôleur.

— Alors ? hasarda le cow-boy, qui avait réussi à
devancer ses compagnons de quelques pas.

— Il me semble que le décor devrait vous suffire !
repartit le contrôleur qui semblait excédé et de fort
méchante humeur. Comme avalanche, on ne saurait
trouver mieux. Nous aurions dû nous méfier quand le
chef de station de Weston nous a mis en garde !...

Tout en prononçant ces mots, le contrôleur désignait
encore l'énorme éboulis qui avait tout écrasé sur son
passage, emporté à une allure de plus en plus accélérée
le long de la déclivité.

— La voie est recouverte sur une distance de plus d'un mille, surenchérit l'employé.

La discussion s'arrêta là. L'homme à la canadienne et ses compagnons s'empressèrent de se joindre aux autres pour intensifier les premiers secours.

Jusqu'ici, par bonheur, on ne déplorait aucun mort ; trois voyageurs avaient été retirés, blessés, dans le premier wagon, qui avait basculé beaucoup plus que les autres. A mesure que se poursuivait l'évacuation, les rescapés se joignaient aux premiers sauveteurs pour déblayer et dégager les wagons de l'épais amas blanc qui recouvrait le train tout entier.

Cham s'était empressé de rejoindre les autres employés. Avec des moyens de fortune, chacun s'efforçait de se rendre utile, sans souci de la neige qui continuait de tomber à gros flocons.

A l'approche de la nuit, l'équipe des sauveteurs improvisés put faire le bilan des résultats obtenus grâce à leurs persévérantes investigations. On s'en tirait avec quelques blessés, heureusement sans gravité. La plus grande partie des voyageurs en serait quitte pour la peur.

Le chef de train avait pris la précaution d'envoyer un de ses employés à Weston pour y réclamer des secours. Toutefois, la nuit tombant, tout le monde se résigna : pour se protéger contre les rigueurs du froid, force serait de rejoindre les wagons et de s'y calfeutrer tant bien que mal.

Pendant que se poursuivaient ainsi les recherches, Marie-Claire était demeurée seule avec son fils.

La patience de Pierrot se trouva alors soumise à une sévère épreuve ; à plusieurs reprises, il voulut sortir, lui aussi, se rendre compte...

— Je t'en prie, mon chéri, reste ici !... Ne t'éloigne pas !

Il y avait dans ces paroles une telle impression d'angoisse que l'enfant se sentit profondément frappé.

— Sois tranquille ! promit-il. Je te garderai !...

— Avec toi, je suis sûre que tout ira bien !

Pierrot avait retrouvé son sac de cuir. Il se réjouit quand il s'aperçut que les santons qu'il contenait demeuraient intacts.

— C'est une chance !... s'exclama-t-il en brandissant un des personnages.

Marie-Claire ne répondit pas et son silence lui valut un reproche de son enfant :

— Pourquoi es-tu toujours si triste depuis quelque temps, petite maman ?

Pendant quelques instants, elle hésita, puis se décida à déclarer d'une voix que l'émotion rendait tremblante :

— On ne peut pas rire tous les jours !

— Il y a bien longtemps que je ne t'ai vu sourire, reprocha gentiment l'enfant. Et, pourtant, je serais si heureux si je te savais contente !...

Cette fois, pour toute réponse, la jeune femme attira étroitement contre elle son enfant.

— Il ne faut pas avoir peur ! surenchérit-il entre deux baisers. D'ailleurs, ne suis-je pas resté pour te défendre ?

Il se fit un bref silence ; c'était à peine s'ils pouvaient se voir, maintenant que le jour commençait à décliner. Tout autour, dans le wagon renversé, c'était toujours le silence, l'épaisse couche de neige qui recouvrait maintenant la plus grande partie du wagon empêchait de discerner les appels et les éclats de voix venus du dehors.

— Ne trouves-tu pas qu'il est gentil ? hasarda enfin Pierrot.

— Qui est gentil ? interrogea alors la jeune femme. Tu veux parler du noir ?...

— Non, pas le noir !... L'homme à la canadienne !... Il sait tant de choses !

Marie-Claire acquiesça d'un signe de tête. Certes, elle éprouvait de la sympathie pour ce compagnon de voyage qui lui avait fait rencontrer la Providence, mais la jeune femme demeurait toujours terriblement réticente depuis qu'elle se savait sous la menace de Moralès.

C'est pourquoi, oubliant rapidement le danger auquel elle venait d'échapper quand l'avalanche s'était écrasée sur le train, Marie-Claire songeait à l'autre péril, plus angoissant encore, que faisait peser sur elle et sur son enfant la menace de son mari.

La jeune femme se souciait assez peu de l'existence ; le malheur l'avait si souvent éprouvée que la mort lui était apparue parfois comme une libératrice ; mais il y avait Pierrot et, à la pensée que l'enfant pût se trouver seul en face de Moralès, l'infortunée se sentait frémir. Elle se promettait de vivre pour le protéger et assurer son avenir !

En attendant, il fallait fuir, se dérober à tout prix, aller s'il le fallait jusqu'au bout du monde, pour empêcher que l'enfant lui fût arraché.

— J'ai faim ! hasarda soudain Pierrot, en posant sa tête câline contre l'épaule de la jeune femme.

— J'ai encore du pain et quelques tablettes de chocolat dans mon sac...

Elle fouilla celui-ci et tendit pain et chocolat à Pierrot, qui s'empressa aussitôt de les entamer à belles dents.

— Ils mettent bien longtemps à revenir ! maugréat-il entre deux bouchées.

L'obscurité était maintenant complètement tombée. Pierrot commençait d'éprouver quelque lassitude. Marie-Claire continuait de le maintenir contre elle, lui imprimant un léger mouvement de va-et-vient, le berçant encore comme s'il eût été tout petit.

Bientôt, un souffle régulier lui apprit que son Pierrot s'était enfin endormi.

Une fois de plus, la jeune femme se sentait reprise par ses appréhensions de toutes sortes. Elle pensait à ses compagnons de voyage. De tous, l'homme à la canadienne était certainement le plus sympathique ; elle avait été frappée par l'éclat de ses yeux clairs. Toutefois, en songeant au borgne et au boiteux, Marie-Claire ne parvenait pas à se défendre d'un indéfinissable malaise.

Et les allures du cow-boy, lui-même, pouvaient lui paraître sujettes à caution.

Cependant, toute réticente qu'elle fût, la jeune femme demeurait persuadée que Moralès restait fermement résolu à imposer sa volonté par tous les moyens ; il n'était pas de ces gens que les pires difficultés font reculer, il poursuivrait la lutte, par la force aussi bien que par la persuasion !...

Et Marie-Claire se retrouvait en proie à l'hallucinant cauchemar qui avait empoisonné déjà toute une partie de son existence et qui semblait bien ne pas devoir toucher de si tôt à son terme.

Toutefois, à mesure que le temps passait, la jeune femme se sentait gagnée de plus en plus par la lassitude. A plusieurs reprises, elle s'efforça de lutter. Sa tête penchait de plus en plus, un engourdissement irrésistible s'emparait de son corps et de ses membres... et, brusquement, incapable de résister, elle sombra dans le sommeil.

Pendant combien de temps l'infortunée demeura-t-elle ainsi, immobile ? Elle n'eut pas le loisir de s'en rendre compte. Un bruit de voix la fit se redresser brusquement sur son séant.

Tout d'abord, Marie-Claire écarquilla les yeux. Autour d'elle, c'était encore l'obscurité la plus complête. Surprise, elle mit quelques instants avant de réaliser pleinement la situation. D'instinct, elle étendit la main, comme pour attirer contre elle Pierrot... Mais l'enfant n'était plus là.

Inquiète, la fugitive se dressa sur son séant. Le cœur subitement serré, elle appela :

— Pierrot !...

Nul ne répondit ; seuls, des éclats de voix se faisaient entendre au dehors.

— Pierrot ! insista-t-elle, persuadée que l'enfant avait profité de son sommeil pour s'aventurer à l'extérieur.

— *Hello !*... Qui appelle ?...

A l'endroit même où les cinq hommes avaient réussi

à sortir peu de temps auparavant, une lumière vague apparaissait. De sa place, Marie-Claire aperçut une main qui brandissait une lampe-tempête... et un visage rude apparut presque aussitôt en pleine lumière.

La jeune femme reconnut tout de suite l'homme à la canadienne. Alors, sans même attendre qu'il se fût laissé glisser à l'intérieur du wagon renversé, elle lui demanda :

— Pierrot !... Vous n'avez pas vu Pierrot ?...

Le nouveau venu parut interloqué par la question que lui adressait la jeune femme.

— Pierrot ? répéta-t-il. Non, madame, je n'ai pas vu Pierrot !...

Et il surenchérit, tout en achevant d'entrer :

— Je croyais, d'ailleurs, qu'il était ici avec vous.

— Il y était, en effet, repartit Marie-Claire, de plus en plus angoissée, mais je me suis endormie pendant un certain temps. Et, quand je me suis réveillée, brusquement, il n'était plus là !

— Rassurez-vous !... Il ne peut être allé bien loin, avec l'épaisseur de neige qui persiste au dehors !... A moins d'être muni de raquettes.

— Vite, cherchons !...

Dominant son extrême lassitude, la jeune femme s'empressa de rejoindre le nouveau venu. D'un bout à l'autre du wagon, faisant crisser sous leurs pieds les innombrables débris de verre, ils parcoururent le refuge de long en large... Mais ce fut sans succès... Au bout d'un moment, ils s'arrêtèrent, excédés, ne sachant plus que penser. Pierrot demeurait toujours introuvable !...

CHAPITRE IV

— Quel maudit chien de temps !... Les chasse-neige ne sont pas encore arrivés de Boise ?...

Dans la nuit, le personnel du train enseveli et une trentaine de voyageurs s'affairaient fiévreusement. En dépit de la neige qui ne s'arrêtait plus de tomber, on s'efforçait de limiter les dégâts. A la clarté vague de quelques lampes-tempête, on travaillait sans répit à dégager les wagons encore ensevelis sous l'épais linceul blanc.

Par intermittence, les coups de sifflet fusaient dans la nuit ; de furtives silhouettes s'empressaient auprès des voitures, pour la plupart tombées sur le flanc. En dépit de la violence du choc, on n'enregistrait que des blessés légers.

Marie-Claire s'acharnait toujours à retrouver son fils. L'homme à la canadienne et Tom Cannon, le *cowpuncher* qui ronflait si fort avant l'avalanche, ne quittaient plus la jeune femme éperdue, la secondant dans ses recherches et s'efforçant de la rassurer.

— Soyez calme, conseillait l'homme à la canadienne. Il ne peut être allé bien loin !

— Pierrot !... Où es-tu ?... C'est moi, ta maman !... Réponds, je t'en supplie !

Autant en emportait le vent !... Seuls se faisaient entendre, dans la nuit glacée, les appels et les éclats de voix des employés et des sauveteurs improvisés.

Une bise cinglante coupait le visage de Marie-Claire, mais il ne semblait pas que l'infortunée souffrît du froid. Le cœur serré, elle ne cessait d'appeler son fils disparu.

— Mon Dieu ! haleta-t-elle enfin, à bout de force. Que peut-il être devenu ?...

— A votre place, madame, conseilla l'homme à la canadienne, je ne m'affolerais pas !... Le petit était bien vivant après l'avalanche, il dormait tranquillement auprès de vous !...

— Certes, convint l'infortunée maman. Il appuyait sa tête contre mon épaule.

Marie-Claire esquissa un geste indéfinissable ; en dépit des paroles rassurantes que lui adressait son compagnon de voyage, elle se sentait toujours obsédée par les mêmes appréhensions.

— Pourtant, se décida-t-elle à hasarder, si Pierrot avait été enlevé !

— Enlevé ?...

Les deux hommes parurent écarter une telle hypothèse.

— Un peu de calme, madame, conseilla l'homme à la canadienne. Une telle éventualité paraît invraisemblable !... Tous nos voisins ont assez à faire à lutter contre la neige et le temps pour s'occuper d'enlever un enfant !... En toute sincérité, je ne vois pas quel intérêt ils auraient à exécuter un tel rapt ?...

De tels propos ne parvinrent pourtant pas à rassurer la fugitive. Elle savait bien que Moralès s'était promis de lui enlever son fils par tous les moyens. La pauvrette vivait dans les transes depuis qu'elle avait abordé ce voyage sans but qui devait la mener vers l'inconnu et qu'elle n'avait entrepris que pour assurer la sauvegarde et la liberté de son enfant !...

— Moralès ! haleta-t-elle. C'est encore lui, j'en suis sûre !...

— Moralès ?...

L'homme à la canadienne et le cow-boy avaient

simultanément répété le nom que venait de prononcer leur voisine. Ils se penchaient vers elle, mais elle se contenta de hocher tristement la tête.

— Cela devait arriver, murmura-t-elle dans un sanglot. Il est et il sera toujours le plus fort !... C'était fatal !...

De grosses larmes coulaient sur ses joues pendant qu'elle s'exprimait de la sorte. L'attitude de ses deux voisins semblait s'être tout à coup transformée. Ils pouvaient constater, en effet, que la fugitive conservait toute sa raison, mais ils avaient maintenant l'impression qu'un drame se jouait, dont les raisons et les circonstances leur échappaient totalement.

L'homme à la canadienne rompit le premier le silence :

— Vous n'en pouvez plus, madame, objecta-t-il. Ne croyez-vous pas que vous seriez mieux à l'abri dans la voiture ?...

Marie-Claire ne répondit pas, accablée sous le poids du chagrin et par l'obsession de l'angoisse.

— A quoi bon ? murmura-t-elle dans un sanglot. Mon fils disparu, rien ne me rattache plus au monde !

— Permettez ! objecta aussitôt l'homme à la canadienne. Il ne faut tout de même pas jeter ainsi le manche après la cognée !... Il ne s'agit pas de mourir, bien au contraire !... Jamais votre petit bonhomme n'a eu un tel besoin de vous qu'en cet instant !

— C'est l'évidence même ! approuva de son côté le cow-boy.

Pendant que son compagnon brandissait une lampe-tempête, l'homme à la canadienne promena un rapide coup d'œil aux alentours.

— Vos bagages sont là ? demanda-t-il enfin à Marie-Claire qui s'immobilisait toujours, prostrée.

La jeune femme se redressa.

— Mes deux valises sont là ! murmura-t-elle.

Puis, brusquement, s'arrachant à son accablement, elle s'exclama :

— Le sac !... Je ne vois pas le sac !...

— Quel sac ? interrogea le cow-boy.

— Vous savez bien, insista-t-elle, le sac dans lequel Pierrot avait enfermé ses santons. Il y tenait comme à la prunelle de ses yeux !...

Cette fois, l'homme à la canadienne parut intrigué.

— Sans doute le petit l'aura-t-il emporté avec lui ?... hasarda-t-il.

— Dans ces conditions, surenchérit Marie-Claire, pourquoi ne m'a-t-il pas réveillée ?... Je ne puis m'imaginer qu'il soit parti tout seul à travers la neige, comme s'il venait d'accomplir un mauvais coup !...

Un tel argument ne manquait évidemment pas de justesse, mais Marie-Claire s'empressait d'ajouter :

— Il n'est pas parti de son plein gré !... C'est certainement Moralès qui l'a fait enlever !...

Pous la seconde fois, la malheureuse avait prononcé ce nom et l'homme à la canadienne ne put se retenir d'interroger :

— Mais, enfin, qui est exactement ce Moralès ?

La réponse ne se fit pas attendre :

— C'est mon mari !... haleta l'infortunée entre deux sanglots.

— Votre mari ?...

Les deux hommes semblaient de plus en plus interloqués.

— Le père du petit ? surenchérit Tom Cannon.

Marie-Claire secoua affirmativement la tête.

Pendant quelques instants, les deux hommes se turent.

— S'il est le père, c'est une autre affaire, objecta l'homme à la canadienne : il a des droits !...

— Même s'il n'en avait pas, s'exclama la jeune femme, éperdue, Moralès ne s'embarrasserait pas de scrupules !... C'est le dernier des misérables !...

— Calmez-vous ! coupa le cow-boy. Je suis bien sûr qu'on le retrouvera, le petit ...

Un coup de sifflet strident interrompit la discussion. Le premier, Tom Cannon se redressa :

— Le chasse-neige !... s'exclama-t-il.

Puis, esquissant un pas vers l'ouverture qu'on avait pratiquée dans la neige et qui servait provisoirement de passage, il déclara :

— On a besoin de nous, là-bas !...

L'homme à la canadienne tendit sa main grande ouverte à la fugitive :

— Courage ! fit-il. Je suis persuadé que vous le reverrez bientôt, votre petit Pierrot !

— Dieu vous entende !

Ils échangèrent un rapide *shake-hand* et Marie-Claire se sentit quelque peu réconfortée. Deux minutes plus tard, elle se retrouvait toute seule dans l'obscurité.

Pendant un moment, la tête entre ses mains, l'infortunée put croire qu'elle perdait la raison. Le drame s'était déroulé avec une telle rapidité qu'elle hésitait encore, se croyant victime d'un abominable cauchemar.

Une question, toujours la même, se posait sans cesse à l'esprit enfiévré de Marie-Claire: où se trouvait son Pierrot ? Le reverrait-elle jamais ?

En dépit de sa lamentable situation, la pauvrette s'efforça de réagir malgré tout ; elle se sentait aussi faible qu'un enfant... La fatigue physique s'ajoutant à la lancinante torture morale, elle se résigna et, bientôt, le sommeil la reprit. Elle avait trop présumé de ses forces !

Pendant ce temps, l'effervescence ne cessait d'augmenter sur les lieux de l'avalanche. Des traîneaux arrivaient, venus de Boise ; des groupes de rudes gaillards, nantis d'outils de toutes sortes, se préparaient à libérer le train de sa prison de neige.

Rapidement, le décor neigeux se transforma en un chantier. A grands coups de pics, les équipes s'attaquèrent à l'immense éboulis qui s'était précipité sur la voie ferrée, obstruée sur une longueur de plus d'un mille.

Ils furent bientôt près de trois cents qui s'acharnaient à débloquer la ligne, tandis que, de part et d'autre du train en partie renversé, deux chasse-neige ne cessaient pas de fonctionner, prolongeant lentement, mais sûrement la tranchée, et dégageant la voie obstruée.

Pendant tout le reste de la nuit, le travail se poursuivit sans arrêt. Patients et résignés, les voyageurs attendaient, pour la plupart réfugiés à l'intérieur des voitures où ils se protégeaient tant bien que mal contre les attaques du froid.

Deux voitures ambulances étaient arrivées depuis le début de la nuit. Grâce aux soins qui furent immédiatement prodigués à une vingtaine de blessés, l'avalanche n'avait pas fait de victime.

Au matin, quand l'aube vint à poindre, le désastre était en grande partie conjuré. La persévérance et la ténacité des hommes, véritables pygmées, l'emportait une fois de plus sur la violence des éléments.

Un sifflement aigu et prolongé provoqua enfin d'enthousiastes exclamations. La locomotive, complètement dégagée, s'enveloppait d'un épais nuage de vapeur, tel un monstre se détendant après un long sommeil.

L'homme à la canadienne et Tom Cannon avaient trimé comme les autres. A plusieurs deprises, ils avaient essayé de se renseigner au sujet de Pierrot, mais personne n'avait aperçu ou remarqué l'enfant.

Après une distribution de café et de rhum, les travailleurs rejoignirent leurs postes. Marie-Claire, réveillée par les appels et par la manœuvre qui avait permis de replacer le wagon sur les rails, s'empressa à la rencontre de ses deux compagnons.

— Eh bien ! Pierrot ? interrogea-t-elle, anxieuse.

L'homme à la canadienne secoua négativement la tête.

— Nous n'avons pas retrouvé votre petit bonhomme, déclara-t-il, mais nous ne devons pas perdre tout espoir.

Puis, regardant fixement la jeune femme, il ajouta avec force :

— Nous le retrouverons sans tarder ! Je vous le promets.

Et, comme Marie-Claire semblait ne pas comprendre très bien, il surenchérit :

— Dieu m'est témoin ! De toutes mes forces, je tâcherai de vous le rendre !...

Au ton d'extrême gravité qu'employait son interlocuteur, la jeune femme comprit qu'il ne s'agissait pas là de paroles en l'air.

Une brusque secousse les fit se retenir et manqua de leur faire perdre l'équilibre à tous les trois. Puis Cham apparut, l'air affairé.

— Le train va repartir, annonça l'employé noir. La voie est entièrement dégagée !...

Le visage tout luisant de sueur, Cham surenchérit :

— Les voyageurs pour Boise, en voiture !...

Soudain, le noir cessa d'agiter le bras ; puis, désignant la place qu'occupaient naguère les deux autres voyageurs, il demanda :

— Où sont-ils ?

Marie-Claire et ses deux compagnons ne surent quoi répondre. Tout à la préoccupation et à l'inquiétude provoquées par l'inexplicable disparition de Pierrot, ils n'avaient accordé aucune attention au borgne et au boiteux qui étaient montés à la précédente station.

— Mais Pierrot ? intervint de nouveau la jeune femme. Je ne puis m'éloigner d'ici sans mon enfant !...

Cham secoua tristement la tête. Nulle part on n'avait aperçu le jeune garçon.

— Lui pas mort, pour sûr !... affirma-t-il simplement.

Puis, levant l'index pendant que le sifflement de la locomotive se prolongeait encore, assourdissant, il cria :

— Nous partir dans trois minutes !

— Mais partir, protesta Marie-Claire, c'est abandonner mon enfant !...

— Pas nécessairement, objecta l'homme à la canadienne d'une voix tranquille. J'ai l'impression, au contraire, que Pierrot se trouve maintenant loin d'ici !...

Puis, regardant vers les places qu'occupaient précédemment le boiteux et le borgne :

— J'ai aussi l'impression, hasarda-t-il, que ces gaillards-là doivent être beaucoup mieux informés que nous au sujet de Pierrot !... Le seul fait qu'ils manquent, eux aussi, à l'appel, nous incite à croire qu'ils ne se sentaient pas la conscience tranquille !...

— Alors ? insista la jeune femme d'une voix tremblante, vous croyez qu'il me faut aller jusqu'à Boise ?

— Vous m'en voyez fortement convaincu, repartit l'homme à la canadienne.

Tom Cannon se grattait la tête avec insistance.

— Reste à savoir... commença-t-il.

Il n'eut pas le loisir de continuer : une nouvelle secousse faillit précipiter Marie-Claire et ses compagnons les uns sur les autres.

— *All aboard !* hurla une voix au dehors. En voiture !

Le chef du convoi donnait le signal du départ. Et Marie-Claire se résigna.

— A la grâce de Dieu !... murmura-t-elle simplement.

L'arrivée à Boise fut sans histoire ; une foule très dense de curieux attendait à la sortie de la *station*, des journalistes en quête de papiers sensationnels interpellaient les voyageurs, dans l'espoir de publier des détails au sujet de l'avalanche.

Encadrée par ses deux compagnons de voyage, qui s'étaient chargés chacun d'une valise, Marie-Claire avançait péniblement, encore sous le coup de la lassitude et de l'angoisse.

— Où allons-nous maintenant ? demanda-t-elle à l'homme à la canadienne.

— Je vous conduis à l'hôtel Lincoln. C'est le meilleur de Boise !...

— Mais Pierrot ? objecta-t-elle. Je pensais qu'il faudrait aviser avant tout la police ?

— Soyez tranquille, je me charge de ce soin !

— Vous ?

La jeune femme considérait non sans étonnement son compagnon, mais celui-ci de lui répondre, d'une voix qui n'admettait pas de réplique :

— Il faut à tout prix vous reposer.

Et, prévenant toute nouvelle objection, il s'empressa d'ajouter :

— Ayez confiance !... Je vous promets de vous rendre votre Pierrot !...

Il parlait avec une telle assurance que Marie-Claire se sentit plus confiante.

Trois minutes plus tard, après avoir parcouru une partie de la grand-rue de Boise, couverte d'une épaisse couche de neige, ils arrivaient à l'hôtel Lincoln. C'était un bâtiment de bonne apparence. Rapidement, l'homme à la canadienne s'effaça pour laisser passer Marie-Claire. Tom Cannon suivait toujours sans mot dire.

Quand ils eurent conduit la jeune femme à la chambre qu'elle devait occuper jusqu'à nouvel ordre, les deux hommes se retrouvèrent au bas de l'escalier, dans le hall de l'hôtel.

— Et maintenant, je vais me rendre au general store, déclara Tom.

— Alors, au revoir, fit l'autre. Je ne vais pas de ce côté-là !

Les deux hommes se séparèrent après avoir échangé un rapide shake-hand. Tandis que le cow-boy s'éloignait vers le magasin où il avait à faire quelques emplettes, l'homme à la canadienne obliquait vers le bureau de poste.

Les mains dans les poches, le compagnon de rencontre de Marie-Claire semblait profondément absorbé. Tout en marchant, il s'efforçait de rassembler toutes les données du problème qu'il se proposait de résoudre.

Pour l'instant, le mystère semblait fort ardu à éclaircir, mais l'homme à la canadienne se sentait de plus en plus persuadé que la disparition de l'enfant n'était évidemment pas sans rapport avec la double disparition des deux autres voyageurs. Le boiteux et le borgne devaient être à la solde de Moralès.

Après avoir libéré ses chaussures de l'épaisse couche de neige qu'elles avaient amassée au cours de son rapide trajet, le voyageur pénétra dans le bureau de poste.

Une bouffée de chaleur lui vint au visage. Un poêle de fortes dimensions entretenait dans le bureau une douce chaleur. Au-delà des guichets, les employés étaient à leurs postes, hasardant un regard curieux sur le visiteur. Ce dernier, après avoir exposé pendant quelques instants ses mains vers le poêle, se dirigeait vers le guichet du télégraphe.

— Une formule, *please !* réclama-t-il.

L'employée, une petite femme boulotte, esquissa un sourire et s'empressa de tendre le papier demandé.

— Vous pouvez écrire sur le bureau, déclara-t-elle. Il y a un porte-plume et un encrier.

L'homme à la canadienne remercia d'un rapide hochement de tête, puis, s'installant à l'endroit qu'on venait de lui indiquer, il prit le porte-plume, qu'il trempa aussitôt dans l'encrier.

Pendant quelques secondes, l'homme réfléchit, puis il se décida à tracer l'adresse : « Colonel Morley, Texas Rangers, El Paso, Texas ».

Il écrivait d'une main quelque peu maladroite :

« Suis à Boise. Retarde départ de quelques jours. »

Ces quelques lignes achevées, il s'empressa d'apposer son paraphe au bas du télégramme ; en quelques instants, la signature s'étala : « CATAMOUNT ».

— Vous ferez partir immédiatement, demanda-t-il ensuite en remettant la formule au guichet. C'est urgent !

CHAPITRE V

— Maman !... Petite maman !...

Pierrot se redressa brusquement ; il se frotta les yeux, les paupières encore toutes bouffies de sommeil.

L'enfant mit quelques instants avant de recouvrer sa complète lucidité. Il se sentait encore tout engourdi et souffrait d'une malencontreuse migraine.

— Maman !... Où es-tu ?... J'ai mal !...

Pour l'instant, Pierrot oubliait la précarité de son état pour ne se préoccuper que de retrouver Marie-Claire. Tout en appelant, il considérait non sans réticence le décor qui l'entourait.

En vain, Pierrot cherchait-il à rassembler ses souvenirs et à se rappeler dans quelles circonstances il était venu jusque-là ; il semblait qu'un épais brouillard eût enténébré ses pensées.

Passant la main sur son front moite, l'enfant put constater qu'il se trouvait étendu sur un grand lit, encore tout habillé. Au fond de la pièce, une pendule faisait entendre son tic tac régulier.

Pierrot fit la grimace : il éprouvait un goût d'amertume qui s'accentuait à mesure qu'il reprenait conscience.

— Maman !...

Personne ne répondit à ce nouvel appel. Alors, le cœur serré, l'enfant sauta à bas du lit et se précipita vers la porte toute proche ; portant aussitôt la main à

la poignée, il essaya d'ouvrir et de sortir de la chambre,
quand une exclamation de dépit lui échappa.

— Fermée !... grommela-t-il avec rage.

A plusieurs reprises, le reclus s'efforça sans succès
de repousser la porte, puis, esquissant un geste de
déception :

« Où et-elle ? se demanda-t-il encore. Et pourquoi
m'a-t-elle ainsi enfermé ? »

En désespoir de cause, le reclus revint vers la fenêtre.
Du revers de la main, il essuya la vitre toute couverte de
buée.

Il neigeait toujours, les flocons blancs tourbillon-
naient. Un morne paysage d'hiver s'étalait tout autour.
Pierrot put alors constater que la chambre où il venait
de se réveiller se trouvait au premier étage. Au-delà de
la cour, des maisons et un hangar, dissimulés sous une
épaisse couche de neige d'une blancheur immaculée.

— Maman !... appela éperdument encore le solitaire.

Cet appel, comme tous les autres, demeura infructueux. Le silence s'appesantissait aux alentours ; cette
déconcertante quiétude impressionnait terriblement
l'enfant.

Soudain, Pierrot s'arrêta, laissant échapper une
brusque exclamation. Ses regards venaient, en effet, de
s'arrêter sur sa petite valise de cuir.

Etendant la main, l'enfant s'en saisit, l'ouvrit et
regarda à l'intérieur. Les santons étaient toujours là.
D'une main qui tremblait un peu, il en prit un, le tambourinaire.

Maintenant, les pensées se faisaient moins confuses
dans l'esprit de Pierrot. Il évoquait le souvenir de
sa rencontre avec l'homme à la canadienne, avec qui il
avait bavardé au cours du voyage.

— Mais pourquoi suis-je ici, dans une maison que
je ne connais pas ? se demanda-t-il. Pourquoi maman
ne me répond-elle pas ?

L'infortuné se sentait tout éberlué en présence des dif-
férents problèmes qui se posaient à lui dans une aussi

déconcertante circonstance. Et ce goût d'amertume dans sa bouche ne cessait de l'obséder.

Pendant un moment, Pierrot s'immobilisa devant le feu qui brûlait dans la cheminée. Une flamme claire courait le long d'une bûche ; parfois, elle vacillait, capricieuse, pour reprendre ensuite plus d'éclat.

Le reclus tendit vers l'âtre ses mains froides. La seule présence de ce feu l'incitait à penser qu'il ne tarderait sans doute pas à revoir sa mère.

« Que s'est-il passé ? » s'interrogea-t-il encore.

Dominant de son mieux son agitation, l'infortuné s'efforça de mettre un peu d'ordre dans ses pensées. Il se revoyait dans le wagon renversé par l'avalanche... et il évoquait sa mère, l'homme à la canadienne, le noir Cham, le cow-boy et les deux autres.

Qu'étaient-ils devenus, tous, et pourquoi Pierrot se retrouvait-il enfermé de la sorte ?... Dans quelles conditions s'était-il éloigné du train et qui l'avait emmené jusqu'à ce refuge mystérieux où continuait de s'appesantir un silence de plus en plus obsédant ?

L'insupportable goût d'amertume, qui ne cessait de l'obséder, permit à l'enfant de s'orienter dans la bonne voie.

— C'est vrai ! J'oubliais !...

Pierrot se rappelait maintenant une scène qui s'était passée dans le wagon. Il reposait au côté de sa mère profondément endormie, la tête appuyée contre son épaule.

Et puis, quelqu'un était venu... Un homme s'était faufilé dans le wagon, actuellement abandonné par la plupart de ses occupants.

L'enfant revoyait maintenant la scène qui s'était passée ; arraché à son sommeil, il s'était dressé sur son séant...

Certes, non !... Il n'y avait plus d'erreur possible, l'homme qui avait interpellé Pierrot portait un bandeau qui lui dissimulait l'œil droit. C'était à n'en pas douter l'un des deux voyageurs qui étaient montés à la dernière station avant que le train fût enseveli sous l'avalanche.

— Tu dois avoir soif, petit ?...

Evidemment, à ce moment-là, l'enfant avait la gorge un peu sèche et, comme le nouveau venu lui tendait un bidon, il avait accepté.

— Bois !... insistait le borgne. Ça te réchauffera, tu verras !

Il avait donc bu ; la tisane qu'on lui présentait ainsi lui parut tout d'abord d'un goût singulier, mais la douce chaleur qui s'insinuait maintenant à travers son corps transi lui parut infiniment bienfaisante.

Après, que s'était-il encore passé ?... Pierrot s'efforçait de déchirer le voile qui entourait son actuelle situation. Il croyait encore voir le borgne qui se penchait sur lui avec une expression qui n'était pas exempte d'inquiétude, se demandant si le somnifère qu'il lui avait fait absorber accomplirait son effet.

Pierrot avait eu peur, à ce moment-là !... Il avait rendu le bidon, mais, tandis que son étrange voisin le considérait avec une singulière persistance, une troublante torpeur s'était brusquement emparée de lui.

Après ?... Le pauvret avait beau se creuser la cervelle, il ne se souvenait plus de rien. Il avait sombré dans un profond sommeil.

— Mais maman ? haleta-t-il en achevant cette troublante évocation. Où est-elle ?... Pourquoi m'a-t-elle abandonné ?

L'enfant se sentait maintenant en proie à une déchirante détresse. Une fois encore, il s'en fut jusqu'à la porte ; ses tentatives pour sortir de la chambre demeurèrent, une fois de plus, sans succès.

Alors, le malheureux n'insista plus ; de grosses larmes lui vinrent aux yeux... Accablé d'angoisse, il se mit à sangloter éperdument.

Pendant combien de temps Pierrot demeura-t-il ainsi, prostré, le visage enfoui dans ses mains ?... Il ne chercha même pas à s'en rendre compte. Epuisé, il s'abandonnait à son chagrin.

Soudain, Pierrot tressaillit : un bruit de pas se faisait entendre dans le couloir voisin.

Anxieux, le reclus se redressa. La première pensée qui lui vint alors à l'esprit fut qu'il s'agissait là de sa mère ; pourtant, ses regards, qui s'étaient brusquement éclairés, s'assombrirent de nouveau... Ces pas pesants n'étaient certainement pas ceux de Marie-Claire.

Un grincement se fit entendre, une clef tourna dans la serrure. Angoissé, ne sachant plus que penser, l'enfant se replia sur lui-même.

En quelques instants, la porte grinça sur ses gonds, une silhouette s'encadra aussitôt dans l'entrebâillement. Un homme apparut, le visage souriant, portant un plateau copieusement garni.

Tout de suite, l'enfant identifia ce visiteur imprévu : c'était, à n'en pas douter, le boiteux, l'autre voyageur qui était monté à la station de Weston, avec le borgne.

Pierrot ne savait quelle attitude observer. Un sourire détendit encore le masque rude du nouveau venu, mais, après avoir déposé le plateau sur une table voisine, il prit la précaution de refermer la porte derrière lui.

— Maman ? interrogea tout de suite le reclus. Où est maman ? Je veux la voir !

L'enfant s'était redressé ; il allait à l'intrus, mais ce dernier voulut l'apaiser d'un geste.

— Sois tranquille ! conseilla-t-il, obséquieux. Tu la reverras, ta maman !... Elle n'est pas perdue et ne court pas, à cet instant, le moindre danger !

— Où est-elle ? insista Pierrot d'une voix vibrante. Je veux la voir !

Le ton de Pierrot se fit alors impérieux... De grosses larmes coulaient le long de son visage crispé.

— Appelez maman ! surenchérit-il malgré tout. Ou, sinon...

Il serrait le poing et, cette fois, son interlocuteur ne put s'empêcher d'éclater de rire.

— Ne te dresse pas sur tes ergots, mon petit bontomme ! insinua-t-il. Sinon, tout pourrait bien aller plus mal pour toi !... Crois-moi, il serait imprudent de décourager les bonnes volontés !... Si tu veux qu'on soit gentil, sois-le aussi !

Il y avait, dans ces paroles, un ton de menace qui n'échappa pas au jeune reclus.

Mais le boiteux reprenait son agaçant sourire et, désignant le plateau qu'il venait d'apporter :

— Tu dois avoir faim... Je t'apporte précisément ton déjeuner.

Pierrot fit la grimace.

— Je n'ai pas faim, riposta-t-il, et je ne mangerai pas tant que maman ne sera pas revenue !

L'homme ne semblait pas avoir entendu.

— Du jambon et des œufs, fit-il. Des confitures et des fruits... Tu auras là de quoi te régaler, quoi que tu dises !... Un grand garçon de ton âge doit avoir bon appétit, c'est dans l'ordre...

Et, comme l'enfant faisait encore mine de bouder :

— Je te laisse ! A bientôt !... conclut le boiteux, sans plus insister.

Pierrot tourna délibérément le dos ; les paroles doucereuses de son visiteur ne lui disaient rien qui vaille !... Loin de le rassurer au sujet de sa mère, les propos qu'il venait de tenir accroissaient d'autant plus ses appréhensions !...

La porte se referma ; une fois de plus, la clef tourna dans la serrure et Pierrot se retrouva seul dans la pièce qui lui servait actuellement de prison.

— Ouvrez !... Ouvrez !... clama-t-il. Je veux revoir maman tout de suite !

A coups de poing et à coups d'épaule, il s'efforça d'ébranler la porte, mais il ne réussit qu'à se meurtrir sans résultat. En désespoir de cause, il se laissa tomber sur une chaise, martelant rageusement le plancher de ses talons.

Mais les pas du boiteux s'étaient éloignés rapidement dans le couloir. Maintenant, le silence s'appesantissait de nouveau sur le mystérieux refuge ; en désespoir de cause, le prisonnier bondit vers la fenêtre. La couche de neige était épaisse dans la cour et lui permettrait sans doute de sauter du premier étage.

Une nouvelle déception attendait l'infortuné. En vain s'acharna-t-il à ouvrir ! Il ne réussit qu'à se meurtrir douloureusement les mains.

— Fermé, là aussi !...

D'un coup de pied rageur, il envoya promener une chaise à l'autre bout de la pièce, mais le vacarme ainsi provoqué n'attira personne. Plus que jamais, la maison semblait abandonnée...

Enfin, Pierrot se résigna ; il comprit qu'il se dépensait en pure perte... Tête basse, se creusant vainement la cervelle, il s'immobilisa, comprenant plus que jamais sa totale impuissance.

Le plateau bien garni demeurait toujours à la portée du reclus. Bientôt, après quelque hésitation, il se résigna... En dépit des propos qu'il avait tenus au boiteux, il avait grand-faim et avait hâte de faire passer ce goût d'amertume insupportable qui ne cessait de l'obséder depuis son retour à la lucidité.

Quelques instants plus tard, Pierrot entamait à belles dents une tranche de pain couverte de marmelade. Bientôt, une seconde suivit. Sans transition aucune, le reclus mangea les œufs et le jambon après les fruits ; puis, sa faim enfin assouvie, il s'étendit dans un fauteuil en face du feu.

Au dehors, la neige ne cessait toujours pas de tomber en tourbillonnant. La buée s'étalait de nouveau sur les vitres, mais Pierrot ne songeait plus à regarder... La réaction s'opérait chez lui ; il remplit un verre de limonade, but à petites gorgées. Le liquide semblait devoir

atténuer l'insupportable goût d'amertume qui persistait encore.

Maintenant, Pierrot se sentait mieux en forme. Il ne
cherchait plus à réfléchir ; la digestion provoquait chez
lui un engourdissement bienfaisant... Ses pensées
angoissantes et ses préoccupations semblaient maintenant reléguées au second plan.

Pendant plus de deux heures, le reclus continua de
somnoler. La douce température qui régnait dans son
refuge semblait le pénétrer tout entier. Parfois il laissait filtrer un regard entre ses paupières, suivant les progrès capricieux de la flamme qui continuait de dévorer les bûches...

Pierrot eût prolongé encore cette pause quand, tout à
coup, une exclamation sourde lui échappa. Dans la
glace qui pendait, accrochée au-dessus de la cheminée,
il apercevait soudain une silhouette...

Quelqu'un était entré, en effet, et avait pris de si
grandes précautions que Pierrot ne s'était pas douté de
sa présence.

L'enfant ne put réprimer un sursaut. Il se retourna.
Mais l'homme qui venait ainsi lui rendre visite l'incita,
d'un geste, à ne pas bouger de son siège.

Durant quelques secondes, ce fut le silence. Pierrot
considérait avec insistance son singulier visiteur. C'était
un inconnu pour lui, un homme qui se trouvait en sa
présence pour la première fois...

Le nouveau venu s'en fut se placer auprès de la cheminée. Il était de taille moyenne. Une fine moustache se
détachait au-dessus de ses lèvres ; ses cheveux, d'un
noir de jais, étaient soigneusement calamistrés ; mais
ce qui retenait surtout l'attention chez lui, c'étaient ses
regards sombres qui s'attardaient maintenant sur Pierrot avec une expression étrange, indéfinissable...

— Eh bien ! Pierrot, on ne dit pas bonjour ?...

L'inconnu rompait le premier le silence ; un enga-
geant sourire détendait sa physionomie ; tout, dans son
attitude, semblait amical.

Et, pourtant, l'enfant ne se sentit pas plus rassuré ; une expression de méfiance et de réticence se dessina sur son visage aux yeux encore rougis par les larmes.

Mais l'autre ne parut pas offusqué outre mesure par cette mimique toute de méfiance et il insista :

— Il y a longtemps que j'attendais cette minute, Pierrot !...

Il allait continuer ; la voix légèrement tremblante du jeune reclus lui coupa la parole :

— Je ne sais qui vous êtes ! objecta l'enfant. Mais rendez-moi à ma maman !...

— Ta maman !... riposta le visiteur avec désinvolture. Tu as bien le temps de la retrouver ! Il n'y a pas si longtemps que vous vous êtes quittés !...

— C'est possible, riposta Pierrot avec force, mais rendez-moi d'abord à maman, nous parlerons ensuite !

Ces paroles, que l'enfant proférait avec force, ne parurent pas, toutefois, avoir convaincu son interlocuteur imprévu.

— Sache bien, appuya alors l'inconnu, que j'ai autant le droit de te voir que ta mère !... Et c'est précisément pour cette raison que tu es là !...

— Qui êtes-vous ?...

Pierrot s'était redressé, défiant son visiteur du regard. La réponse ne se fit pas attendre :

— Qui je suis ? fit l'inconnu. Apprends que je m'appelle Moralès et que je suis ton papa !...

— Vous !... Mon papa !... Ce n'est pas possible !...

L'enfant considérait son interlocuteur avec un effarement, une indignation, qu'il ne cherchait pas à dominer.

— Ce n'est pas possible ! répéta-t-il. Vous mentez !...

— Que je sois damné si je mens ! Je suis ton papa ! Je te le répète !...

Pendant quelques instants, Pierrot regarda l'autre sans mot dire. Il voulait encore douter, mais les regards sombres du visiteur s'arrêtaient toujours sur lui avec une impressionnante fixité.

Au bout d'un court moment, Moralès reprit la parole :

— C'est curieux, objecta-t-il. Tous les enfants ont un papa !... Et cela t'étonne d'en avoir un comme les autres ?...

Pierrot acquiesça d'un signe de tête ; il ne semblait pas encore convaincu, en dépit de l'attitude de son interlocuteur.

— Je n'ai jamais eu de papa !... se défendit-il enfin.

— Ta maman ne t'a jamais parlé de lui ?...

— Il était parti pour un lointain voyage... C'est tout ce qu'elle m'a dit !

Le ton agressif de l'enfant n'avait pas changé : plus que jamais, il semblait défier Moralès du regard.

— Evidemment, convint le nouveau venu, je conçois sans peine ta surprise. J'eusse agi et parlé comme tu le fais toi-même, si mon papa s'était présenté à moi à brûle-pourpoint, ainsi qu'il arrive actuellement.

Pierrot se sentait toujours en proie à l'incrédulité et au soupçon.

— Ta maman ne t'a vraiment jamais rien dit autre chose de moi ? surenchérit le visiteur. Tu n'as rien vu, pas la moindre photographie, pas le moindre portrait ?

— Maman m'a dit que je n'avais plus de papa, comme tant d'autres !...

Moralès porta la main à son veston.

— J'ai là des papiers d'identité, objecta-t-il, qui permettraient de la détromper et de la confondre en un clin d'œil !... Mais nous n'avons pas de temps à perdre en stériles discussions !... Quand un père parle, son fils n'a qu'à lui obéir... C'est dans l'ordre !

Pour la première fois depuis le début de l'angoissant tête-à-tête, Moralès haussait le ton ; néanmoins, il ne parut pas avoir convaincu son jeune interlocuteur.

— Quand maman me dira à son tour que c'est bien vrai, protesta-t-il, je vous croirai, pas avant !... Conduisez-moi d'abord auprès d'elle et nous verrons...

Le nouveau venu eut un geste agacé.

— Je t'ai déjà dit que je n'avais pas de temps à perdre !... D'ailleurs, ta maman a dû te cacher bien des choses !... Et, maintenant que tu es devenu un grand garçon, tu dois tout savoir, afin de pouvoir te comporter comme un homme dans la vie !...

Pierrot fit aussitôt la grimace :

— Si vous êtes vraiment mon papa, insista-t-il, vous n'avez qu'à me ramener à maman.

— En vérité, ricana aussitôt Moralès, tu en as de bonnes !... On doit toujours tutoyer son papa !...

— C'est que je ne suis pas sûr que vous soyez mon papa !...

Et, devançant encore son interlocuteur, il ajouta :

— D'ailleurs, le seriez-vous, que vous devriez me ramener à maman !...

Moralès secoua négativement la tête.

— Je suis navré de te contredire, *my boy*, insista-t-il. Pendant des années, je t'ai laissé aux bons soins de ta maman, mais, maintenant, c'est à mon tour de m'occuper de toi !... Moi seul, grâce à mes relations et à ma situation, suis en mesure de te procurer un bel avenir !

Pendant un long moment encore, Moralès chercha à convaincre son jeune interlocuteur. Il s'employa en pure perte. Alors, impatienté, de la douceur il passa à la menace :

— Prends garde ! s'exclama-t-il. Si tu cherches à te dresser sur tes ergots, je saurai bien t'amener à résipiscence !...

Brusquement, il se fit plus doux :

— Dans quelques jours, surenchérit-il, nous partirons ensemble. En attendant, je suis bien sûr que tu sauras comprendre où se trouve exactement ton intérêt !...

— Ramenez-moi à maman, répéta une fois de plus l'enfant. Là, au moins, nous pourrons nous expliquer !

— Pour la troisième fois, je te rappelle que je suis pressé. Je n'ai pas de temps à perdre en discussions et en scènes de famille !...

Moralès avait quitté son siège ; il se dirigeait vers la porte. Pierrot voulait le suivre, il s'empressa de le repousser :

— Minute, *my boy* !... Tu sortiras de là quand tu te montreras plus raisonnable !... Tout dépendra de ta sagesse et de ta compréhension !

Puis, s'arrêtant quelques instants encore sur le seuil de la chambre, il surenchérit :

— Si tu as besoin de quelque chose, tu appelleras Ned ou Schutz. Ce sont deux gaillards qui me rendent depuis longtemps service... Ils ont reçu l'ordre de veiller sur toi, d'empêcher toute fuite et, si les circonstances l'exigent, de te ramener à de meilleurs sentiments.

Sans plus attendre, Moralès s'en fut en refermant avec précaution la porte derrière lui.

— *Bye bye* !... cria-t-il du couloir. Tout s'arrangera, tu verras ! Nous serons bons amis !

Puis il s'en alla et Pierrot se retrouva de nouveau seul dans le refuge qui devait lui servir de prison jusqu'à nouvel ordre.

— Non, gémit l'enfant, ce n'est pas possible !... Ce n'est pas vrai !...

Pierrot s'insurgeait encore contre la déconcertante révélation que venait de lui faire son inquiétant visiteur. Les paroles que lui avait adressées Moralès se représentaient sans cesse à son esprit.

— Mais, maman, murmura-t-il sourdement, que devient-elle dans tout cela ?

Le cœur serré, il s'en revint vers la cheminée. Le sac de cuir jaune se trouvait toujours là, à sa portée. Machinalement, il s'en saisit, puis il en retira les santons, qu'il se mit à aligner devant lui comme des soldats à l'exercice.

Et, dans le refuge mystérieux, le silence ne fut plus troublé que par le tic tac régulier de la pendule.

CHAPITRE VI

ANGOISSES ET ESPÉRANCES

— Nous n'avons toujours rien trouvé, madame. Mais nous espérons nous montrer plus heureux dans les jours qui vont suivre !...

Tout en mâchonnant son cigare, Tim Melcart, shérif de Boise, reconduisait sa visiteuse jusqu'à la porte de son bureau.

Marie-Claire prit machinalement la main que lui tendait le représentant de l'autorité. L'infortunée avait grand-peine à retenir ses sanglots.

— Allons, il faut vous faire une raison, surenchérit Melcart. L'enquête se poursuit. Je suis convaincu que nous ne tarderons pas à retrouver votre fils !...

Ces quelques paroles lénifiantes ne parvinrent pas à réconforter la jeune femme. Arrivée depuis deux jours déjà à Boise, elle s'était empressée d'alerter les autorités ; des recherches avaient été aussitôt engagées, assez loin encore dans la montagne, mais, en dépit de la bonne volonté du shérif et de son *posse*, nul n'avait pu encore découvrir la bonne piste.

Tim Melcart ajouta au bout de quelques instants :

— Vous êtes toujours à l'hôtel Lincoln ?

Sur un hochement de tête affirmatif de son interlocutrice, il s'empressa aussitôt d'ajouter :

— Soyez sans crainte !... Nous vous aviserons dès que nous aurons du nouveau !... Espérez ! Tout n'est pas perdu encore ! Il faudra bien qu'on le retrouve, le petit !

Marie-Claire n'insista plus ; de grosses larmes perlaient entre ses longs cils. Pendant un moment, elle marcha comme un automate, tout absorbée dans ses pensées ; les vagues déclarations du shérif ne pouvaient, en effet, laisser subsister chez elle qu'un très faible espoir...

La jeune femme s'imaginait, en effet, qui pouvait être l'auteur du rapt dont Pierrot avait été la victime ; Moralès était le cerveau qui avait dirigé l'opération ; le borgne et le boiteux ne devaient être que des pantins dont l'aventurier actionnait les ficelles.

Moralès... Marie-Claire ne pouvait s'empêcher de frissonner en évoquant celui qui l'avait si lâchement abandonnée avant même la naissance de leur enfant. Et ses appréhensions ne cessaient d'augmenter : selon toute évidence, le coquin n'aurait pas de mal à se soustraire aux atteintes du shérif et à mettre en lieu sûr l'enfant.

Tandis qu'elle marchait ainsi, absorbée dans ses pensées, la pauvrette n'accordait aucune attention aux passants qui la croisaient et qui, pour la plupart, ne se privaient pas de la regarder à la dérobée.

Soudain, la jeune femme tressaillit. Quelqu'un hâtait le pas derrière elle.

— Excusez-moi, madame. Pourriez-vous m'accorder quelques instants ?...

Marie-Claire se retourna en entendant cette voix qui lui était familière et elle aperçut l'homme à la canadienne, qui avait été tout récemment son compagnon de voyage et celui, aussi, de Pierrot.

Depuis, tout absorbée dans ses démarches, la jeune femme ne s'était pas inquiétée de ce que pouvait être devenu le voyageur dont elle ne connaissait pas même le nom.

Pendant quelques instants, ils allèrent ainsi côte à côte, foulant l'épaisse couche de neige qui s'était amoncelée sur les trottoirs et le long de la chaussée. Et, tandis qu'ils avançaient, le ciel gris semblait s'éclairer quelque peu.

Non loin de là, des enfants se livraient un combat acharné avec des boules de neige. Et, aussitôt, par une association d'idées, Marie-Claire en vint encore à penser à son enfant, si mystérieusement disparu.

— Soyez sûre que je compatis de tout cœur à votre détresse !...

Le ton apitoyé qui accompagnait ces paroles émut la pauvrette, mais elle ne put répondre ; son voisin s'empressait, en effet, de lui demander :

— Toujours rien de nouveau au sujet de votre petit bonhomme ?

— Rien de nouveau !... Mais le shérif espère encore !

L'homme à la canadienne hocha lentement la tête ; il semblait ne pas espérer, lui non plus, de grands résultats de l'enquête qu'avait engagée Tim Melcart. Le shérif était un brave homme, certes, mais il manquait plutôt de flair et cette affaire de vol d'enfant présentait un caractère spécial qui dépassait de beaucoup sa compétence.

— Vous restez encore à Boise ? interrogea l'homme.

— J'étais partie sans autre but que celui d'échapper à tout prix à ce misérable !... Tant que je n'aurai pas retrouvé mon enfant, j'attendrai...

Marie-Claire s'exprimait avec assurance. Pourtant, une autre question, plus inquiétante, se présentait à son esprit : aurait-elle les fonds nécessaires pour séjourner à l'hôtel Lincoln pendant une période assez longue ?... Déjà, ses économies s'étaient dangereusement amenuisées, depuis qu'elle avait entrepris son voyage vers l'Ouest.

Toutefois, l'infortunée s'efforça de réagir ; s'il le fallait, elle travaillerait, elle irait laver la vaisselle, éplucher les légumes...

Tout en marchant, Catamount observait fréquemment son interlocutrice à la dérobée ; depuis qu'il avait adressé son télégramme au colonel Morley, l'homme aux yeux clairs s'était promis de mettre tout en œuvre pour retrouver l'enfant disparu.

Jusqu'ici le ranger n'en était qu'à la période inévitable des tâtonnements ; il avait préféré demeurer au second plan, de façon à bien étudier toutes les données du problème.

Ils approchaient de l'hôtel Lincoln, le visage coupé par la brise glacée. Catamount, alors, se décida à interroger :

— Excusez-moi... mais pourriez-vous me fournir quelques précisions au sujet de votre mari ?...

Une ombre passa dans le regard de Marie-Claire : un tel sujet lui était pénible. Elle pinça les lèvres. Jusqu'ici, l'impression que lui procurait son ex-compagnon de voyage était bonne, mais la brusque question qu'il lui adressait lui parut friser l'indiscrétion.

Par bonheur, Catamount s'empressa de mettre les choses au point :

— Je sais bien, fit-il, une telle demande vous paraît un peu... surprenante, je dirai même incorrecte... Toutefois, je vous l'adresse dans l'intérêt même et pour la sauvegarde de votre petit bonhomme !

Et d'ajouter, d'une voix que teintait une évidente mélancolie :

— C'est qu'il est charmant, votre petit bonhomme ! Et, en ce qui me concerne, je suis prêt à tout risquer pour le retrouver et assurer sa sauvegarde.

De tels propos atténuèrent la surprise que venait d'éprouver la jeune femme.

— Le shérif mène l'enquête, repartit-elle d'un ton quelque peu réservé. Il vient de m'assurer, tout à l'heure, que ses investigations seraient menées jusqu'au bout !

— Evidemment, admit Catamount, le shérif est tout indiqué pour mener l'enquête, c'est son rôle... Cependant, vous vous imaginez bien qu'il doit s'occuper d'autres affaires. Dès lors, vous connaissez le proverbe : « Qui trop embrasse mal étreint !... »

— Vous avez raison, certes, convint Marie-Claire, mais pouvais-je agir autrement ?...

— Nous sommes tout à fait d'accord, approuva l'homme aux yeux clairs. Mais j'ai l'impression que l'enquête débute assez mal !... Et si Melcart va à ce train-là, nous ne serons pas plus avancés dans un mois !

De tels propos émurent profondément la jeune femme ; elle se rappelait l'attitude toute de réticence du représentant de l'autorité. Le shérif lui avait paru manquer de poigne et ses espoirs s'en trouvaient d'autant plus affectés.

— Pourtant, objecta-t-elle, à qui pourrais-je m'adresser ?

Elle ouvrait de grands yeux étonnés et sa surprise s'affirma encore plus forte quand son interlocuteur déclara, en la regardant fixement :

— Je vous en prie, faites-moi confiance !...

— Comment ?... Vous ?...

Catamount approuva d'un signe de tête.

— Pourtant, surenchérit la jeune femme, de quel droit... ?

— J'attendais cette question, coupa le ranger. Elle s'imposait, d'ailleurs, et je conçois aisément votre surprise. Toutefois, j'ai peine à penser que votre petit bonhomme se débatte ainsi en fâcheuse posture. Je l'aime, ce brave gosse... Je le revois encore avec ses santons...

— Ses santons qui ont disparu avec lui, précisa Marie-Claire.

La jeune femme semblait plus rassurée ; elle appréciait le ton qu'empruntait son interlocuteur, dont l'attitude compatissante et fermement résolue parvenait, à la fois, à forcer son intérêt et sa sympathie.

Parvenus à quelques pas de l'hôtel Lincoln, ils s'arrêtèrent ; bien des têtes s'étaient détournées sur leur passage.

Alors, pendant un moment, avant de prendre congé de l'homme aux yeux clairs, Marie-Claire se décida à lui confier dans quelles circonstances elle avait connu Moralès... Le ranger ne chercha pas un instant à l'interrompre, recueillant ainsi des précisions qui pourraient lui être utiles au cours de l'enquête qu'il se proposait d'engager de son côté pour secourir et retrouver son jeune ami.

Un vent glacial balayait la neige et la faisait tourbillonner à travers la grand-rue, aussi Catamount se décida-t-il à quitter Marie-Claire, qui s'empressa de réintégrer sa chambre.

La jeune femme se sentait plutôt lasse quand elle se fut enfermée chez elle. Pendant un moment, tout en ranimant le feu de bois qui continuait de brûler dans la cheminée et qui entretenait dans la pièce une bienfaisante chaleur, elle s'efforça de faire le point de la situation.

Non sans éprouver un lancinant serrement de cœur, la pauvrette se remémorait les paroles que lui avait adressées Tim Melcart. Certes, l'attitude embarrassée du shérif ne faisait rien présager de bon ; tout laissait même prévoir que l'affaire ne tarderait pas à être classée !

Par bonheur, la rencontre de l'homme aux yeux clairs atténuait quelque peu la mauvaise impression que Marie-Claire conservait de son dernier contact avec le représentant de l'autorité.

Maintenant, il lui semblait entendre encore la voix claire de Catamount ; en peu de temps, ce singulier compagnon de voyage avait réussi à l'impressionner favorablement.

Et, bientôt, Marie-Claire ne put se retenir de murmurer, au comble de l'effarement :

— Il n'a même pas songé à me dire son nom !...

Tandis que l'infortunée se trouvait ainsi réduite aux seules conjectures, passant tout à tour de l'angoisse à l'espérance et inversement, Catamount s'éloignait à travers la grand-rue de Boise. Bientôt, il obliqua vers le « Tic-Tac », le saloon le plus fréquenté de la petite ville.

La neige se remettait à tomber. Sans plus attendre, le

ranger racla ses chaussures emprisonnées sous une
gangue épaisse, puis il monta les quelques marches qui
conduisaient à l'entrée de la vaste salle.

Une bouffée de chaleur atteignit Catamount en plein
visage ; une forte odeur de tabac enveloppait maintenant le nouveau venu de toutes parts. Des silhouettes
nombreuses allaient et venaient, estompées par le nuage
de fumée opaque qui persistait à l'intérieur du « Tic-
Tac ».

Depuis son arrivée à Boise, Catamount était déjà venu
trois fois au *saloon*, aussi le *boss*, qui s'affairait au
comptoir avec son barman, invita-t-il le nouveau venu à
se jucher en face de lui, sur un tabouret.

L'homme aux yeux clairs déclina l'offre d'un geste
bref, puis, avisant une table qui demeurait libre, un
peu plus loin, au fond de la salle, il s'empressa de l'occuper et de commander de la bière.

Les jambes croisées sous la table, le ranger s'empressa d'allumer une cigarette et, tandis qu'il envoyait
tranquillement une volute mince de fumée vers le plafond, il put se rendre compte qu'il devenait maintenant
le point de mire de tous les regards.

Les clients du « Tic-Tac » se sentaient visiblement
intrigués par la présence persistante de l'étranger dans
la ville. Ils savaient, certes, que l'homme à la canadienne faisait partie du groupe des voyageurs qui
avaient été arrêtés par l'avalanche, sur la ligne de chemin de fer, entre Boise et Weston.

A plusieurs reprises, les plus curieux avaient tenté de
questionner le ranger, mais la brièveté et l'incertitude
de ses réponses avaient été telles que nul ne s'était avisé
d'insister

Malgré tout, Catamount ne semblait pas s'offusquer
de la curiosité dont il demeurait l'objet ; à le voir, on
eût dit qu'il se fût trouvé tout seul dans la grande salle.
A plusieurs reprises, tout en continuant de fumer sa
cigarette, il but la bière fraîche et mousseuse que venait
de lui servir un des *boys* du « Tic-Tac ».

Autour du comptoir, l'effervescence augmentait ; on s'interrogeait à voix basse, observant à la dérobée l'homme aux yeux clairs, et une question, toujours la même, se posait à ces rudes gaillards : pour quelle raison l'étranger s'attardait-il ainsi à Boise ?...

Certes, la présence de Marie-Claire semblait naturelle à tout le monde : l'infortunée jeune femme attendait qu'on lui ramenât son enfant, si mystérieusement disparu... Mais pourquoi l'homme aux yeux clairs prolongeait-il à son tour son séjour dans la petite ville ?

Au bout d'un moment, la curiosité générale parut s'amenuiser quelque peu. Les buveurs semblèrent se lasser de se poser toujours les mêmes questions.

Impassible, Catamount allumait une nouvelle cigarette. Les regards perdus dans le vague, il étudiait la situation. Sa pensée vagabondait bien loin de là, vers Pierrot, que ses ravisseurs avaient réussi jusqu'ici à mettre hors d'atteinte.

Que devenait l'enfant ?... L'homme aux yeux clairs le revoyait encore dans le wagon, enchanté de lui présenter ses santons ; il se rappelait son sourire, sa bonne humeur... Et il serrait le poing, plus décidé que jamais à mettre tout en œuvre pour le rendre sain et sauf à Marie-Claire.

Catamount était encore absorbé dans ses pensées quand il se redressa brusquement... Une main venait de se poser sur son épaule.

Un homme était là, un grand escogriffe à la démarche lente, aux cheveux roux, au visage tavelé de tâches de rousseur.

— Alors, fit le nouveau venu, tu ne me remets pas ? Nous sommes pourtant de vieilles connaissances ?...

Le ranger esquissa un geste vague ; il affectait tout d'abord l'étonnement bien qu'il eût parfaitement remis son interlocuteur dès le premier coup d'œil.

— Eh ! oui, insistait le nouveau venu. Nous avons passé ensemble quelques heures qui ne sauraient s'oublier !...

Puis, comme Catamount hochait évasivement la tête, il surenchérit :

— Rappelle-toi, l'avalanche !... Nous étions dans la même voiture... Rappelle-toi... Tom Cannon... Le *cowpuncher* qui cherchait un *job*...

L'homme aux yeux clairs acquiesça alors d'un signe de tête.

— Tom Cannon... C'est vrai... Aussi, ta figure me disait quelque chose !

— Tout de même !... Tu te décides !...

Sans façon aucune, Tom Cannon s'installait en face du ranger, puis croisant les bras et s'accoudant à la table :

— Tu paies quelque chose ? demanda-t-il. Je suis fauché... positivement fauché !... Tu pourrais fouiller mes poches, tu ne découvrirais pas le moindre *cent* !... J'ai eu tort de m'attarder un peu trop à la roulette !

Catamount accepta, ce qui lui valut une forte tape appliquée sur l'épaule.

— Une bière ? proposa-t-il.

Le *cowpuncher* fit la grimace.

— Au fait, objecta-t-il, si cela ne te fait rien, je préférerais un bon petit whisky !...

— Une bière ! commanda le ranger au *boy* qui s'était approché.

Et comme Cannon faisait une nouvelle grimace, il surenchérit :

— Tu empestes déjà le whisky.

Le *cowpuncher* se résigna. Il avait rejeté son feutre en arrière, découvrant une abondante chevelure rousse.

— Je croyais que tu cherchais un *job* ? interrogea alors Catamount.

— Evidemment, je cherchais un *job*, confirma Tom Cannon. Mais j'ai frappé à toutes les portes et je n'ai rien trouvé.

— Rien d'étonnant, opina Catamount. On n'embauche jamais aux approches de Noël !... Et il faut être un tantinet « pince-corné » pour se présenter en pareille saison !... Si encore tu étais au Texas... Mais ici, à Boise, au pied des Rockies !...

Il se fit une légère pause ; d'un revers de manche, Tom Cannon essuya ses lèvres humides et son masque tout luisant de sueur.

Non sans grimacer, il but quelques gorgées de bière, puis, hochant tristement la tête :

— Maintenant, je me demande ce que je vais devenir, sans le moindre *cent* en poche ?

Catamount esquissa un geste vague.

— Mon Dieu, se contenta-t-il de déclarer, c'est ton affaire !... Ce n'est pas moi qui t'ai conseillé de venir ainsi dompter des broncos au pays des neiges !

Tom Cannon, dépité, marmotta alors quelques mots que son interlocuteur ne put saisir.

— Il faut te faire une raison !... conseilla l'homme aux yeux clairs.

Mais le *cowpuncher* de reprendre :

— Si tu reviens au Texas, emmène-moi avec toi..

Catamount, dont les sourcils s'étaient légèrement froncés, ne put alors se retenir de protester :

— Qui t'a dit que je venais du Texas ?...

— Pas besoin d'être sorcier pour s'en rendre compte ! repartit Tom Cannon. Tu as le teint beaucoup plus marqué que les indigènes de l'Idaho !... Et puis, il y a aussi l'allure !... Je donnerais ma tête à couper que tu vas plus souvent à cheval qu'à pied !...

L'homme aux yeux clairs ne semblait guère disposé à accepter une pareille recrue, quand son interlocuteur porta la main à sa poche et en retira un objet qu'il se mit à tourner et à retourner entre ses doigts.

Un soudain éclair fit pétiller à ce moment les prunelles de Catamount. Au premier coup d'œil, il reconnaissait le petit bonhomme en terre cuite... C'était un des santons que Pierrot avait emportés avec lui au cours de sa déconcertante disparition.

— Où as-tu trouvé ça ? interrogea-t-il.

Catamount abandonnait l'attitude toute de réticence

et de désinvolture qu'il observait tout à l'heure. Il prit
le santon que Tom Cannon exhibait encore entre le
pouce et l'index.

Le *cowpuncher* fronça les sourcils, comme s'il cherchait à se rappeler.

— Allons, parle !... insista le ranger, qui ne cherchait plus, maintenant, à dominer son impatience. Je
t'ai demandé où tu avais trouvé ça ?

CHAPITRE VII

Pendant quelques instants, Catamount attendit ; la question qu'il venait de poser semblait embarrasser quelque peu son interlocuteur. Entre ses doigts nerveux, le ranger tournait et retournait le santon, qui représentait un tambourinaire et qu'il se rappelait bien avoir remarqué, peu de temps auparavant, quand Pierrot lui présentait ses bonshommes, dans le wagon.

Enfin, Tom Cannon se décida à parler :

— J'ai trouvé ça tout à l'heure, à quelques pas du *saloon*, précisa-t-il, auprès de la barre d'attache. Après l'avoir ramassé, je l'ai mis dans ma poche.

Et, comme le ranger s'immobilisait encore, silencieux, Tom Cannon surenchérit :

— On n'en voit pas souvent dans le pays, des petits bonshommes de cette espèce. Où les fabrique-t-on ?

— En Provence.

— En Provence ?... C'est bien la première fois que j'entends prononcer ce nom-là !... Tu connais sans doute ?

— Pas précisément, mais j'en ai entendu parler tout récemment.

— C'est sans doute dans le Montana ou dans l'Idaho ?

— Tu n'y es pas ! C'est de l'autre côté de la Grande Mare !... En France ! Et je suis sûr que tu as déjà entendu parler de la France ?...

— Evidemment !

Tom Cannon semblait sur le point de hasarder de nouvelles questions à son interlocuteur, mais ce dernier l'arrêta d'un geste.

— Vite !... Nous n'avons pas de temps à perdre ! déclara-t-il en se levant de son siège.

— Nous partons ?

Le *cowpuncher* ouvrait de grands yeux ébahis.

— Tu ne t'imaginais certainement pas que nous devions prendre racine ici ?... D'autant plus qu'il ne te reste même pas un *cent* pour tenter la chance à la roulette.

A regret, Tom Cannon se leva. Il eût préféré demeurer encore au « Tic-Tac », dont l'atmosphère chaude et douillette contrastait avec le froid rigoureux qui ne cessait de sévir au dehors.

Le départ des deux hommes parut intriguer profondément les clients du saloon, surtout ceux qui se groupaient autour du comptoir. Quelques-uns les interpellèrent au passage, mais le ranger affecta de n'avoir rien entendu.

Ils se retrouvèrent donc sur le pas de la porte d'entrée ; brusquement, un tourbillon de flocons glacés les accueillit.

Tom Cannon poussa un sourd grognement et enfouit ses mains dans ses poches pendant que son compagnon redressait frileusement le col de sa canadienne.

— On était vraiment mieux à l'intérieur, maugréa le *cowpuncher*.

Mais, déjà, Catamount descendait les marches couvertes de neige, peu soucieux de prêter plus longtemps l'oreille aux récriminations de son compagnon ; il pensait à Pierrot, qu'il avait hâte de retrouver et de secourir.

En quelques instants, l'homme aux yeux clairs s'arrêta auprès de la barre d'attache la plus rapprochée du « Tic-Tac » ; en temps normal, les chevaux s'y alignaient nombreux ; mais les clients du *saloon* préféraient, pour la plupart, abriter leurs montures à l'écurie, pour les protéger contre les rigueurs de la température.

Une bande de moineaux picorait un petit tas de crottin que la neige commençait de recouvrir et s'envolèrent, effarouchés.

Le ranger se tourna vers son compagnon, qui mettait ses moufles, puis, désignant le santon qu'il conservait toujours dans sa main :

— Et maintenant, me diras-tu où était le petit bonhomme quand tu l'as découvert ?

Tout d'abord, le *cowpuncher* ne répondit pas. Il se penchait à son tour, étudiant attentivement le terrain.

Catamount commençait à s'impatienter sérieusement quand Tom Cannon étendit la main ; puis, pointant son index vers le sol, il précisa :

— C'est là !...

L'homme aux yeux clairs laissa échapper un sourd grognement :

— Mais quand as-tu aperçu le petit bonhomme ?...

Cette fois, la réponse ne se fit pas attendre :

— Tout de suite avant d'entrer au « Tic-Tac », expliqua le *cowpuncher*.

Le ranger se mordit les lèvres ; il pestait contre les circonstances qui le retardaient encore. Combien eût-il été préférable, en effet, que son compagnon lui eût exhibé le santon quand ils s'étaient retrouvés en présence !... En s'attardant au *saloon*, ils avaient perdu un temps précieux.

Mais Catamount ne s'attarda pas à vitupérer... Il n'était pas l'homme des longs discours. Agenouillé sur la neige, après avoir enfoui le tambourinaire dans sa poche, il étudiait les empreintes les plus récentes, qui avaient été laissées là par deux chevaux.

— Selon toute probabilité, opina enfin le ranger, les deux cavaliers qui se sont ainsi éloignés doivent savoir exactement où se trouve actuellement Pierrot, en admettant même que l'enfant ne fût pas avec eux !

Puis, comme Tom Cannon secouait affirmativement la tête, il ajouta :

— Les deux cavaliers étaient ensemble, ils sont partis en même temps et ont emprunté délibérément la direction du Nord.

— Peut-être pourrait-on demander aux autres ? hasarda le *cowpuncher*. Certains ont dû voir les deux chevaux et, peut-être aussi, leurs propriétaires. De plus, si l'enfant se trouvait avec eux, ils n'ont pu moins faire que de le remarquer !

— Ce serait perdre un temps précieux, objecta Catamount. N'oublie pas que, plus nous attendrons, plus ces deux gaillards auront de chances de se mettre en lieu sûr. Et nous risquons de nous égarer à travers la région montagneuse !

— D'accord, opina Tom Cannon, mais pour nous éloigner avec l'espoir de rejoindre les cavaliers en question, il nous faudrait des chevaux ! Or, nous n'en possédons ni l'un ni l'autre !...

Une telle objection ne sembla pourtant pas embarrasser l'homme aux yeux clairs.

— Des chevaux, fit-il, nous en aurons dans quelques minutes.

Le ranger s'était exprimé avec une telle assurance que son interlocuteur en parut tout éberlué.

Mais, déjà, Catamount se redressait, puis, désignant le *saloon* :

— Essaie au moins d'apprendre quelque chose autour du comptoir... Pendant ce temps, je m'occuperai de la cavalerie !

Tom Cannon ne semblait pas encore revenu de sa surprise ; l'homme aux yeux clairs s'exprimait avec une telle conviction qu'il s'en trouvait lui-même tout désorienté.

— Deux bonnes bêtes, marmotta-t-il, ça ne se trouve pas d'un coup de baguette magique !

— Fais comme je te dis... Dans quelques minutes, j'irai te chercher au « Tic-Tac »...

Dès lors, Tom Cannon n'insista plus ; d'un pas rapide, il rejoignit le *saloon*, pendant que Catamount s'empressait vers la demeure du shérif.

Tim Melcart se trouvait précisément à son bureau quand l'homme aux yeux clairs vint frapper à sa porte.

— C'est vous ! s'écria-t-il quand il aperçut son visiteur, avec qui il avait déjà échangé quelques mots quand Marie-Claire avait porté plainte au représentant de l'autorité, aussitôt après la disparition de son fils.

Le shérif semblait, ce jour-là, d'humeur plutôt maussade. Il ignorait l'identité de Catamount et voyait d'un fort mauvais œil ce nouveau venu s'attarder et prolonger son séjour à Boise.

— Excusez-moi de vous déranger, shérif, déclara Catamount, mais il me faudrait deux chevaux pour une course importante, une course à laquelle vous êtes intéressé autant que nous !...

Cette fois, Tim Melcart se fâcha tout rouge :

— Permettez ! objecta-t-il en haussant hargneusement le ton. Vous devez vous être trompé d'adresse !... Vous êtes ici chez le shérif et non point chez un loueur ou un marchand de chevaux !

Catamount n'avait pas bronché et son calme imperturbable contrastait avec l'exaspération à laquelle se trouvait en proie le représentant de l'autorité.

— Je ne me suis pas trompé, insista-t-il calmement, c'est bien au shérif que je m'adresse.

— Dans ces conditions, du diable si je comprends quelque chose !...

Tandis que son interlocuteur s'agitait et s'exaspérait plus que jamais, l'homme aux yeux clairs fouillait dans son portefeuille et en retirait quelques papiers qu'il tendait à son interlocuteur.

Plus hargneux que jamais, Tim Melcart prit les pièces d'identité que lui présentait son visiteur intempestif. Fronçant ses sourcils broussailleux, il commença de lire... Avant même qu'il eût achevé, il ne put retenir une exclamation de stupeur :

— Comment ?... Vous êtes ranger !...

Puis, se levant, le masque soudain détendu, il surenchérit :

— Pourquoi ne m'avoir pas averti plus tôt ?

— La raison en est bien simple, expliqua Catamount. Jusqu'ici, il n'y avait aucune nécessité à révéler à quiconque ma véritable identité. Actuellement, les choses ont changé... Et c'est pourquoi je viens vous réclamer deux chevaux...

— Je vais donner les ordres nécessaires, reprit Tim Melcart, aussi empressé qu'il se montrait naguère réticent.

Et, se levant brusquement de son siège :

— Vous avez avec vous un collègue ?

— J'ai avec moi un nommé Tom Cannon.

— Tom Cannon ? murmura le shérif en fronçant de nouveau ses épais sourcils. Connais pas !... Etranger au pays, sûrement...

— C'est un vague cowpuncher en quête d'un job.

Tim Melcart s'empressa aussitôt d'objecter :

— Etes-vous sûr de ce citoyen ? Peut-être vaudrait-il mieux que je vous adjoigne un de mes deputies ?... Ils ont l'habitude de pareilles corvées.

— Vous êtes bien aimable, mais j'ai la conviction que Cannon me permettra de faire des découvertes intéressantes !...

Tandis qu'un deputy, averti, préparait et équipait les deux chevaux demandés, Catamount raconta au shérif dans quelles circonstances le cowpuncher avait retrouvé le santon.

— Evidemment, convint le représentant de l'autorité, quand son visiteur eut achevé son exposé, la découverte de la figurine autorise bien des suppositions. Mais ne croyez-vous pas que mieux vaudrait que je vous accompagne avec mon posse ?...

Le ranger s'empressa de décliner cette proposition.

— Soyez tranquille, assura-t-il à son interlocuteur, quand le moment sera venu, je n'oublierai pas de vous alerter !... Pour l'instant, il ne s'agit que d'une simple reconnaissance. Soyez bien persuadé que si la nécessité s'en fait sentir, je n'oublierai pas de recourir à vous !...

La discussion ne se prolongea pas ; dès que les deux chevaux lui furent amenés, Catamount échangea avec Tim Melcart un vigoureux *shake-hand*.

— Il ne me reste plus qu'à vous souhaiter bonne chance, déclara le shérif. Mais n'oubliez pas de m'avertir, le cas échéant !

— Fasse le Ciel que nous soyons actuellement sur la bonne piste ! se contenta de répondre le ranger.

Catamount s'empressa de conduire les deux bêtes jusqu'au « Tic-Tac ». En quelques instants, il s'empressa d'aller chercher Tom Cannon.

— Vite !... lui dit-il. Nous partons !...

Tout en entraînant son compagnon, le ranger put se rendre compte que le *cowpuncher* avait dû boire quelque peu de whisky ; son attitude, sa démarche titubante, l'odeur d'alcool dont il semblait imprégné et qui empestait son haleine, incitaient à penser qu'il n'était plus tout à fait dans son aplomb normal.

— En selle, *old boy !*

A peine Tom Cannon eut-il chaussé les étriers que le ranger enfourcha à son tour le cheval noir que Tim Melcart avait mis à sa disposition ; puis, esquissant un claquement de langue, Catamount fit partir sa monture au grand trot.

— Attention !... Pas si vite !... protesta le *cowpunséer*, devenu subitement inquiet.

Tom Cannon avait peine à conserver son équilibre ; il s'efforçait malgré tout de chevaucher à la même allure que son compagnon.

Les deux cavaliers traversèrent ainsi la grand-rue. La neige avait cessé de tomber, aussi l'homme aux yeux clairs bénissait-il cette circonstance qui allait lui permettre de mieux suivre la double piste qui courait le risque d'être rapidement effacée.

Tout d'abord, le ranger n'avait pas de peine à suivre

les empreintes qui se prolongeaient depuis son départ du « Tic-Tac ». Il passa bientôt devant l'hôtel Lincoln ; au moment même où il s'éloignait, il remarqua qu'une main soulevait légèrement le rideau derrière une fenêtre du premier étage.

Marie-Claire était là ; de la main, elle adressait un signe à Catamount qui s'efforça de lui faire comprendre qu'il était pressé.

En moins de trois minutes, les deux cavaliers eurent dépassé les dernières maisons de Boise. Ce fut à peine s'ils croisèrent quelques rares passants. Si la neige avait cessé de tomber, un petit vent glacé se mettait à souffler, s'insinuant désagréablement sous les vêtements et cinglant constamment les visages.

L'homme aux yeux clairs ne semblait pas s'inquiéter du mauvais temps ; les fréquents séjours qu'il avait faits au Canada l'avaient depuis longtemps familiarisé avec le froid. Par contre, Tom Cannon, qui le suivait comme son ombre, se montrait beaucoup moins aguerri. A plusieurs reprises, Catamount dut ralentir l'allure de son coursier pour permettre à son compagnon de chevaucher avec lui de conserve.

— Alors, interrogea-t-il, tu n'as rien appris au « Tic-Tac » ?

— Absolument rien !... Il y avait d'ailleurs un tel vacarme qu'on n'arrivait plus à s'entendre...

Le ranger n'insista pas ; les propos que lui avait tenus Tim Melcart au cours de sa brève visite lui revenaient à l'esprit ; il se demandait maintenant s'il n'eût pas mieux fait de suivre les conseils que lui avait donnés le représentant de l'autorité avant son départ de Boise.

La double piste continuait de se prolonger ; les deux cavaliers poursuivirent donc leur chevauchée, n'échangeant de temps en temps que quelques brefs monosyllabes.

Maintenant, ils abordaient la région montagneuse, où les pistes remplaçaient les routes ; çà et là, le terrain devenait dangereusement glissant ; à plusieurs reprises,

Catamount et son compagnon durent intervenir pour empêcher leurs montures de tomber.

— Ça commence à devenir éreintant !... pesta Tom Cannon. J'ai un point de côté...

— Un peu de courage, riposta aussitôt l'homme aux yeux clairs. J'ai l'impression que nous ne tarderons pas à apprendre du nouveau !

Le *cowpuncher* dont le col relevé dissimulait en partie le visage rougi par le froid, se contenta de pousser un sourd grognement.

Ils s'aventurèrent encore pendant un certain temps ; des corbeaux innombrables passaient par bandes dans le ciel bas qu'ils remplissaient de leurs croassements lugubres.

— Oiseaux de malheur !... rugit Tom Cannon en menaçant les oiseaux noirs de son poing tendu.

Mais Catamount ne s'inquiétait pas des rapaces ; ses regards clairs ne se détachaient plus du sol. Et, bientôt, il remarqua que la neige avait été piétinée tout auprès.

— Attention ! lança-t-il à son compagnon. Ils se sont arrêtés là pour souffler, sans doute !

Point n'était besoin, évidemment, de se montrer habile trouveur de sentier pour constater que les deux cavaliers, dont le ranger et le *cowpuncher* avaient suivi la piste depuis leur départ de Boise, avaient effectivement arrêté là leurs montures.

Des traces de pas se dessinaient, fort apparentes. Pendant un certain temps, les deux cavaliers avaient piétiné sur place.

Soudain, Tom Cannon sursauta. Le ranger venait de pousser une exclamation.

— Quoi de neuf ? interrogea le cowpuncher d'une voix pâteuse.

— Vite !... Viens voir !...

Tom Cannon s'arracha à l'engourdissement qui s'emparait de son corps et de ses membres pour rejoindre son compagnon.

Catamount se penchait ; du doigt, il désignait

d'autres empreintes qui se perdaient avec les autres :

— Des pas d'enfant !

Il n'y avait plus de doute possible : un enfant s'était arrêté là avec les autres, un enfant dont Catamount soupçonnait aisément l'identité. Il s'agissait certainement là de Pierrot.

— Pas de doute, fit le *cowpuncher*, après avoir regardé à son tour, le gosse est avec eux !...

Une nouvelle et déconcertante découverte vint confirmer les soupçons des deux cavaliers. Tout en continuant d'explorer le terrain toujours enseveli sous son épais linceul, l'homme aux yeux clairs aperçut quelque chose qui s'étalait non loin d'un tas de crottin.

— Plus d'erreur ! s'exclama le ranger. C'est bien Pierrot !

Tout en prononçant ces mots, Catamount brandissait sa nouvelle trouvaille et Tom Cannon, qui se penchait auprès de lui et qui semblait oublier les rigueurs de la bise, put se rendre compte qu'il s'agissait là d'une autre figurine, semblable à celle qui avait été découverte auprès de la barre d'attache du « Tic-Tac »...

— On dirait qu'il a une couronne, le petit bonhomme ? hasarda le *cowpuncher*, intrigué.

— C'est Melchior, un des rois mages ! expliqua le ranger. Je me rappelle l'avoir aligné déjà avec les autres, quand nous étions dans le train avec le petit.

Pendant quelques instants encore, l'homme aux yeux clairs s'attarda à examiner le santon.

— C'est bien Pierrot que ces deux cavaliers emmènent avec eux, murmura-t-il. Je me demande comment ils ont fait pour s'arrêter avec lui à Boise sans éveiller les soupçons ?

Tom Cannon allait donner son avis, quand, d'un geste, le ranger lui enjoignit le silence.

— Il faut agir maintenant, se contenta-t-il de déclarer. Nous parlerons après. Et j'ai dans l'idée que nous ne tarderons pas à les rejoindre, ces deux compères !...

Nous aurons alors l'occasion de nous expliquer sans détours !

Le cowpuncher n'insista plus. Deux minutes plus tard, après avoir de nouveau enfourché leurs montures, ils s'empressaient de reprendre leurs investigations.

CHAPITRE VIII

LA PISTE DES SANTONS

— Et, surtout, n'oublie pas ce que nous t'avons déjà dit, sale gosse !... Un seul mot, un seul geste, et nous te tordons le cou !...

Plus mort que vif, Pierrot se tint coi, ayant peine à retenir ses larmes... Depuis combien de temps s'éloignait-il ainsi ?

L'enfant en venait maintenant à regretter terriblement le mystérieux refuge où il avait été enfermé aussitôt après son enlèvement. Là-bas, au moins, il ne souffrait pas du froid. Le boiteux et le borgne, qui remplissaient les fonctions de gardiens, veillaient à ce que la pièce fût bien chauffée, à ce qu'il ne manquât de rien.

Dans ce premier refuge, Pierrot ne souffrait pas trop ; seul l'obsédait l'ardent désir de retrouver sa chère maman.

Pendant de longues heures, l'enfant s'était efforcé de comprendre. La visite de Moralès, visite qui ne s'était pas renouvelée, l'inquiétait constamment, mais il avait beau chercher à résoudre le déconcertant problème, il ne découvrait aucune solution.

Selon toute évidence, Pierrot pensait qu'il s'agissait là d'un effronté mensonge. Moralès ne pouvait être son papa !... S'il en eût été ainsi, Marie-Claire eût certainement donné toutes les explications nécessaires.

Certes, à plusieurs reprises, l'enfant avait posé la question à sa mère ; elle lui avait répondu toujours dans le même sens : son papa avait disparu peu de temps avant sa naissance. Et Pierrot avait toujours cru qu'il était parti au Ciel, comme tant d'autres...

Pourtant, Pierrot avait beau se creuser la cervelle, envisager les hypothèses les plus diverses et les plus invraisemblables, il conservait la conviction que Moralès lui avait menti et qu'il ne pouvait être son papa !

En évoquant la courte et inquiétante visite que lui avait faite l'aventurier, le jeune prisonnier ne pouvait surmonter une impression d'instinctive répulsion ; il lui semblait encore entendre sa voix, tantôt doucereuse, tantôt menaçante... Moralès commandait comme un maître ; dès le premier contact, Pierrot l'avait détesté.

Toutefois, l'infortuné ne pouvait que mesurer la totale impuissance à laquelle il demeurait condamné. Il avait, tout d'abord, espéré que le borgne et le boiteux qui s'étaient constitués ses gardiens se montreraient moins sévères et consentiraient à le ramener à sa maman, mais l'attitude hostile des deux compères lui avait bien vite fait comprendre qu'il ne saurait attendre le moindre secours de leur part !... Maintenant, de quelque côté qu'il se tournât, Pierrot ne découvrait pas la moindre issue.

Dans cette profonde détresse, le jeune reclus s'était rappelé à plusieurs reprises le compagnon de rencontre, l'homme à la canadienne qui s'était intéressé à ses santons et dont l'attitude envers sa maman et envers lui-même s'était montrée si bonne, si simplement compréhensive.

« Celui-là, se disait-il, je n'aurais pas hésité à le croire s'il m'avait annoncé qu'il était mon papa !... Mais l'autre... »

Pierrot évoquait aussi son départ précipité du refuge où ses ravisseurs l'avaient enfermé tout d'abord. Des éclats de voix avaient soudain troublé le silence de sa mystérieuse retraite.

Immobile, comprimant les battements de son cœur, l'enfant avait alors essayé de surprendre la discussion qui s'était engagée dans la pièce voisine. Son visage s'était altéré quand il lui avait semblé reconnaître la voix cassante et impérative de Moralès.

— Partez ! commandait l'aventurier. Sauf imprévu, je ferai en sorte de vous retrouver à Horseshoe Bend. Mais ne perdez pas de vue le gosse !... Vous me répondez de lui ! Malheur à vous s'il s'échappait !

Immobile, l'oreille au guet, Pierrot entendit ensuite une porte claquer, puis un bruit de pas précipités qui s'éloignait à travers le couloir voisin.

Le prisonnier n'eut pas le loisir de réfléchir plus longtemps et de chercher à résoudre de nouveaux problèmes... Un tressaillement l'agita quand il entendit la clef tourner dans la serrure... et, quelques instants plus tard, Schutz, le boiteux, surgit sur le seuil.

— Vite !... enjoignit-il d'une voix menaçante. Suis-moi !... Nous allons partir !...

Pierrot n'avait pas bougé ; s'efforçant de dominer l'émotion profonde à laquelle il se sentait en proie, il demanda :

— Où me conduisez-vous ?...

— Lève-toi !... Nous n'avons pas de comptes à te rendre !... Ici, on obéit !

Et, comme le reclus manifestait une profonde répugnance, le boiteux surenchérit, la main levée :

— Surtout, il faudra filer droit, sinon, gare à la paire de claques !...

L'infortuné comprit que mieux valait obtempérer... Lentement, il se releva, détendant ses muscles engourdis.

— Allons, dépêche-toi !... enjoignit Schutz, plus menaçant que jamais.

— Attendez !... J'emporte mon sac !...

— Emporte, consentit le coquin, mais sois sage !... Si tu ne te montres pas docile, je te coupe les oreilles !... C'est bien compris ?

Tout en prononçant ces mots, le boiteux portait la main au manche d'un couteau qui émergeait de sa ceinture.

— Et maintenant, passe devant !... commanda le coquin, tout en s'effaçant pour permettre à l'enfant de sortir.

Sac en main, Pierrot quitta donc la pièce où il avait passé des heures si angoissantes ; à peine s'aventurait-il dans le couloir qu'une bouffée d'air glacé lui cingla le visage.

Soudain, Ned, le borgne, apparut et, secouant ses vêtements couverts de neige :

— Les chevaux sont prêts, annonça-t-il. En route !...

Pierrot se dirigeait vers la sortie, quand le boiteux l'arrêta d'un geste.

— Minute !... On va te bander les yeux !...

— Me bander les yeux ? protesta l'enfant, angoissé.

— Tu as raison, approuva alors Ned. C'est une précaution des plus sages... Sait-on jamais, avec un polisson de cet acabit !

Bon gré mal gré, Pierrot dut se résigner. Schutz prit un foulard qu'il s'empressa d'assujettir autour de la tête et devant les yeux de Pierrot, afin de l'empêcher de voir.

— Mais comment pourrai-je marcher ? protesta celui-ci, prêt à éclater en sanglots.

— Je te prendrai par la main, repartit le boiteux. Tu n'aurais qu'à te laisser faire ! Ce n'est pas bien sorcier !

Deux minutes plus tard, le trio sortait. Ned, qui marchait le dernier, referma avec précaution, derrière lui, la porte de la maison.

Et l'enfant sentit qu'il enfonçait dans l'épaisse couche de neige ; ses doigts étreignirent le poignet de Schutz, tandis que son autre main n'abandonnait pas le sac où étaient enfermés les santons.

— Attention !... N'aie pas peur !... Je vais te soulever.

Une forte odeur de cuir et de cheval vint aux narines de l'enfant, qui esquissa un geste de recul.

— Attention ! protesta-t-il. Je ne sais pas monter à cheval !

— Laisse faire ! Tu n'auras qu'à te retenir solidement.

Pierrot dut encore se résigner. Quelques secondes plus tard, il se sentit empoigner par des mains robustes et placer à califourchon derrière le boiteux, qui venait d'enfourcher sa monture.

L'enfant sentit encore que Ned l'assujettissait solidement avec son lasso. Puis le borgne s'empressa de rejoindre sa monture qui attendait à deux pas plus loin.

— En route !... cria Schutz.

La chevauchée s'engagea, une chevauchée dont Pierrot devait se souvenir durant toute son existence. Le cœur battant, il allait, emporté vers l'inconnu. Le bandeau lui interdisait de hasarder le moindre coup d'œil.

Pendant un long moment, au moins pendant une heure, Pierrot se laissa conduire ; l'épaisseur de la couche de neige qui s'étalait de toutes parts sur le sol contraignait les deux chevaux à aller lentement. De temps à autre, le borgne ou le boiteux laissaient échapper un sourd juron. Ils s'exaspéraient de ne pouvoir aller plus vite.

Soudain, Schutz tira sur sa bride et, se penchant vers son acolyte qui venait de suivre son exemple, il questionna :

— On s'arrête à Boise ?

— C'est plus sûr ! repartit aussitôt le borgne.

— Mais le gosse ? insista le boiteux en désignant le prisonnier.

— On l'enveloppera dans une couverture. Et il n'y aura certainement pas foule dehors par un temps de chien pareil !...

Ils repartirent alors. Pierrot se sentait plus intrigué que jamais. Il savait où se rendaient ses deux gardiens, à un endroit nommé Horseshoe Bend. Mais il ignorait

absolument par quel chemin et dans combien de temps
on pourrait atteindre ce but.

— Attention, enjoignit enfin Schutz, on va t'enve-
lopper dans une couverture !

L'enfant dut se résigner encore. En quelques instants,
il se sentit réduit à l'état de paquet.

— Et, surtout, n'oublie pas mes recommandations !
déclara une dernière fois le boiteux.

En dépit de sa fâcheuse position, Pierrot sentait toujours contre lui le petit sac de cuir dont il n'avait pas
voulu se séparer. Au hasard, il avait entrouvert le mince
bagage ; et, pendant que les deux chevaux s'arrêtaient
à proximité de la barre d'attache la plus proche du
saloon, il tournait et retournait entre ses doigts un de
ses santons, le tambourinaire.

Laissant s'éloigner son acolyte, Ned demeura auprès
des deux montures. Accoudé à la barre d'attache, il
venait d'allumer une cigarette.

Pierrot se garda bien de bouger d'un pouce, sous la
couverture qui le dissimulait entièrement. En dépit des
précautions prises par ses gardiens, il se demandait
comment il pourrait réagir et avertir de sa présence
quelqu'un qui eût pu le secourir et l'arracher aux mains
de ses deux gardes du corps.

L'infortuné étouffait à demi. Autant il faisait froid,
tout autour, autant il lui était difficile de respirer... Et,
toujours, machinalement, il tournait et retournait entre
ses doigts le santon.

Soudain, Pierrot se raidit. Une idée lui venait à l'esprit : il se rappelait l'histoire du Petit Poucet, que sa
maman lui avait racontée naguère, quand ils voya-
geaient ensemble dans le train, avant que se déclenchât
l'avalanche.

« Si j'essayais ? se dit le pauvret. Les santons pourraient me tenir lieu de cailloux et l'on arriverait peut-
être à me retrouver. »

En réfléchissant ainsi, l'enfant négligeait de mesurer
tout ce que cette tentative pouvait présenter de délicat.

Son imagination débridée envisageait tous les moyens qui pussent lui permettre de s'arracher à sa si délicate situation.

Pendant ce temps, Ned, qui s'était hissé sur la barre, continuait de fumer une cigarette. A mesure que s'écoulaient les minutes, il commençait à s'impatienter de l'absence prolongée de son compère. A plusieurs reprises, des clients s'engouffrèrent par la grande porte du « Tic-Tac », mais nul ne s'avisa de le gratifier d'un coup d'œil ; les mains protégées par des moufles, le col relevé, ils ne cherchaient qu'à se garantir des atteintes d'un froid toujours très vif.

Le borgne commençait à s'impatienter ; ses regards se portaient toujours dans la direction où s'était éloigné son acolyte. Et ses appréhensions devenaient telles qu'il ne remarqua pas un petit objet qui, par une fente légère de la couverture protégeant le jeune prisonnier, venait de tomber sur la neige foulée par les sabots des deux chevaux.

Pierrot s'était décidé à agir ; en désespoir de cause, il avait semé le tambourinaire et se promettait bien, si la chevauchée se prolongeait encore, de suivre l'exemple du Petit Poucet... Les oiseaux ne mangeraient pas les santons... Et qui savait ? Peut-être les bonshommes attireraient-ils l'attention de quelqu'un...

Enfin, Schutz reparut. Ned ne put retenir une exclamation de soulagement quand il l'aperçut qui revenait.

— Alors, rien de nouveau ? interrogea anxieusement le borgne.

— Rien de sensationnel, repartit aussitôt le boiteux, si ce n'est que nous ne devons pas lanterner. Le temps ne travaille pas pour nous. Les choses pourraient fort bien se gâter.

Tout en prononçant ces mots, Schutz s'empressait d'enfourcher son cheval. Et Ned de l'imiter aussitôt.

Les deux cavaliers s'éloignèrent, chevauchant de conserve ; quand ils eurent dépassé les dernières maisons de

Boise, ils ralentirent l'allure de leurs chevaux et se concertèrent à mi-voix :

— Tu as vu le *boss* ? interrogeait le borgne.

Schutz secoua affirmativement la tête.

— J'ai bien vu le *boss*, précisa-t-il. Il ne fera certainement pas long feu à Boise !

— Et pourquoi donc ?

— Il paraît qu'on a remarqué, ces derniers jours, la présence d'un solide gaillard étranger au pays et qui semble fureter avec une insistance que l'on pourrait, à bon droit, trouver fort équivoque.

Le masque de Ned s'assombrit. Pendant quelques instants, ils se regardèrent, lui et son compère, ne sachant trop que penser.

— Sans doute est-ce quelqu'un de la bande à Stillson ? hasarda enfin le borgne.

— Je le crains, murmura le boiteux. Depuis un certain temps, ces damnés rascals prennent un malin plaisir à nous couper l'herbe sous le pied...

Et Schutz de surenchérir, sans parvenir à dissimuler son irritation et son dépit :

— Il faudra bien que ça finisse !... Le *ooss* ne m'a pas caché que la moutarde commençait à lui monter au nez !... Et quand le *boss* casse la vaisselle, fini de rire !...

— Le *boss* est assez grand pour savoir exactement ce qu'il doit faire. Tant pis pour l'homme à la canadienne s'il s'avise de vouloir mettre le nez dans nos affaires ! Beaucoup l'ont déjà tenté, qui payèrent de leur vie une trop coupable imprudence !...

Sans plus chercher à poursuivre la discussion, Schutz déclara :

— Pour l'instant, nous n'avons pas à perdre notre temps à bavarder ! Nous devons rejoindre Horseshoe Bend... Quand nous serons là-bas avec le gosse, il ne nous restera plus qu'à attendre les directives du *boss* !...

Ensemble, ils activèrent l'allure des deux chevaux.

Sous sa couverture, Pierrot se sentait de plus en plus mal à l'aise ; il n'avait pas perdu un seul des propos que venaient d'échanger les deux compères.

Et, brusquement, l'infortuné se sentit revivre à l'espérance. Les allusions faites par ses gardiens à l'homme à la canadienne lui firent tout de suite penser à son récent compagnon de voyage.

Dès lors, autant Pierrot s'était senti naguère accablé de crainte et de lassitude, autant maintenant il ébauchait des perspectives plus souriantes. La crainte que l'inconnu semblait provoquer chez les autres lui sembla d'excellent augure.

Toutefois, la situation de l'enfant devenait de plus en plus inconfortable ; il se sentait courbatu et souffrait terriblement à chaque secousse que lui imprimait le cheval.

Soudain, Ned se redressa, puis, se penchant vers son compagnon, il murmura :

— Attention !... Nous oublions le gosse !... Il va étouffer !

— C'est vrai ! convint le boiteux.

Ils s'arrêtèrent donc et le boiteux s'empressa d'écarter quelque peu la couverture et de desserrer les attaches qui retenaient solidement le jeune prisonnier.

— Alors, ça va mieux ? demanda le borgne.

Un nuage de transpiration entourait maintenant Pierrot.

— On peut enlever le bandeau ? proposa alors Schutz.

— Naturellement, approuva l'autre. Maintenant, ce n'est plus la peine !

L'enfant ouvrit les yeux, puis les referma aussitôt, ébloui par la blancheur immaculée de la neige qui s'étalait autour de lui à perte de vue.

— *Hello, boy !* On avalerait peut-être une petite gorgée de whisky ?

Tout en parlant ainsi, le boiteux s'emparait d'un

bidon qu'il portait toujours sur lui et il approchait le
récipient des lèvres du captif, qui se recula en esquissant une grimace.

— Bien dégoûté ! ricana le boiteux.

Puis, avalant d'une traite ce qui restait encore dans
le bidon, il ajouta :

— A ta santé !

— Vite !... intervint alors le borgne. Hâtons-nous !...
Il nous reste encore quelques milles à parcourir avant
d'atteindre Horseshoe Bend.

— Et la nuit ne tardera pas à tomber !...

— Raison de plus pour ne pas perdre de temps !...

Pierrot demeurait silencieux ; ses regards s'habi-
tuaient au décor morne et désolé qui s'étalait de toutes
parts.

— Go !...

Pendant un long moment, les deux compères s'arrêtèrent de parler ; le terrain devenait plus difficile sur les
pentes qu'ils abordaient maintenant. A de fréquentes
reprises, les chevaux glissaient dangereusement et
menaçaient de s'écrouler ; il fallait que leurs cavaliers
fissent preuve d'une extrême habileté pour éviter la
chute.

Après une demi-heure d'efforts sans cesse soutenus,
ils s'arrêtèrent afin de faire souffler un peu leurs bêtes
qui commençaient à se fatiguer.

Et ce fut ainsi que Pierrot réussit, sans éveiller l'attention de ses deux compagnons, à tirer un nouveau
santon du sac de cuir, puis à le jeter à l'endroit même
où les deux chevaux, rabotant la neige du bout de leurs
sabots, laissaient derrière eux des pistes fort apparentes.

Quand le trio parvint à Horseshoe Bend, le sac était
vide. Tous les santons jalonnaient maintenant, à inter-
valles irréguliers, la double piste que laissaient derrière
eux les deux complices de Moralès.

— Nous arrivons !... cria Schutz, coupant enfin le
silence.

La nuit approchait, mais Pierrot restait rasséréné. Affectant la plus complète résignation, il laissait vagabonder ses pensées vers l'homme à la canadienne. Et, malgré la précarité de sa situation, il se sentit peu à peu renaître à l'espérance !

CHAPITRE IX

— Encore un autre !...

Une fois de plus, Catamount sauta à bas de son cheval pour recueillir une figurine. C'était la neuvième qu'il récoltait ainsi depuis qu'il s'aventurait, avec Tom Cannon, en direction de Horseshoe Bend.

Maintenant, aucun doute n'était plus permis : la piste des santons, qui permettait au ranger de s'engager sur la bonne voie, n'était autre que la piste de l'enfant si mystérieusement disparu.

Les deux cavaliers continuèrent à chevaucher de conserve, mais, en raison des difficultés du terrain, ils durent bientôt se mettre l'un derrière l'autre.

— Hâtons-nous ! fit au bout d'un moment le *cowpuncher*. Nous devons arriver avant la tombée de la nuit !

Catamount hocha approbativement la tête. La nuit approchait rapidement. Ils se trouvaient encore à trois milles de Horseshoe Bend, le seul endroit abrité qu'on pût trouver dans cette direction.

— La neige va se remettre sans tarder à tomber, bougonna Tom Cannon en désignant le ciel d'un gris sombre.

Avec persévérance, échangeant de temps à autre de rapides propos, les deux cavaliers poursuivirent l'escalade des pentes qui se faisaient de plus en plus abruptes, à mesure qu'ils poursuivaient leur pénible avance vers le nord.

La double piste se prolongeait, toute fraîche. Les deux ravisseurs de Pierrot avaient été gênés, eux aussi, par les difficultés du terrain le long des pentes trop glissantes.

Toutefois, les difficultés et les obstacles, quels qu'ils fussent, n'altéraient pas la farouche volonté des deux compagnons. Le ranger n'oubliait pas la mission, qu'il s'était lui-même imposée, de retrouver l'enfant et de le ramener dans le plus bref délai à sa mère. De son côté, Tom Cannon semblait toujours aussi résolu à suivre jusqu'au bout l'homme aux yeux clairs.

Les deux cavaliers n'avaient pas encore achevé leur étape quand le *cowpuncher* s'arrêta et, se tournant vers son compagnon, lui murmura :

— Vois !... Là-bas !... Une lumière !...

Catamount s'empressa de regarder dans la direction que lui désignait son voisin.

— Ce doit être une cabane qui sert parfois de refuge aux bergers pendant la belle saison, ajouta Tom Cannon. Ceux que nous suivons se sont installés pour y passer la nuit... Nous n'allons pas tarder à être fixés !

L'homme aux yeux clairs eut un grognement satisfait. Il brûlait du désir de retrouver l'enfant avant que la nuit fût complètement tombée.

Maintenant, ils n'avaient plus à hésiter pour s'orienter dans la bonne voie : la lumière était là, qui les attirait.

Quand les deux cavaliers furent enfin parvenus à moins de trois cents pas du refuge, ils s'arrêtèrent pour se concerter au sujet de l'attitude qu'il leur faudrait prendre.

— Je crois qu'il serait sage d'effectuer avant tout une reconnaissance jusqu'à la bicoque, proposa le ranger. Nous verrons alors comment il faudra manœuvrer.

— C'est également mon avis, approuva Tom Cannon.

— Voilà deux arbres qui nous permettront d'attacher les chevaux, surenchérit l'homme aux yeux clairs.

Quelques instants plus tard, ils s'éloignèrent de nouveau le long de la piste qui permettait d'atteindre Horseshoe Bend.

Colt en main, Catamount et Tom Cannon s'aventurèrent jusque dans le voisinage immédiat du refuge. Ils s'arrêtèrent alors.

La cabane présentait un aspect misérable ; une partie du toit en branchage s'était effondrée sous le poids de la neige.

Usant de mille précautions, évitant de provoquer le moindre bruit, Catamount et son compagnon s'aventurèrent en rampant. Les attaques d'un vent glacé qui venait les cingler en plein visage n'affaiblirent en rien leur farouche résolution de secourir le jeune captif.

Enfin, le ranger parvint, le premier, auprès de la fenêtre, dont le rectangle lumineux se précisait dans la nuit commençante.

Anxieusement, Catamount se haussa sur la pointe des pieds et regarda. La buée opaque qui s'étalait sur les vitres ne lui permit de discerner que deux vagues silhouettes.

En dépit des sifflements du vent, le ranger, qui tendait attentivement l'oreille, réussit enfin à discerner deux voix d'hommes qui semblaient en train de discuter.

Intrigué, Tom Cannon s'approcha à son tour ; il vint se placer auprès de l'homme aux yeux clairs qui, portant un doigt à ses lèvres, lui intima le silence...

Maintenant, les voix se faisaient plus distinctes :

— Encore un peu de bois, Ned ?... On crève de froid !...

— Le bois ne coûte rien dans cette satanée bicoque ! Inutile de l'économiser !...

— N'oublions pas, non plus, que le *boss* nous a recommandé de soigner le gosse et de lui éviter d'attraper le moindre mal.

— Evidemment, il faut être prudents ! Le *boss* peut arriver d'un instant à l'autre !...

— Comme il peut encore nous laisser en carafe ! Et ce ne serait pas la première fois !

— A quoi bon nous creuser ainsi la cervelle !... Nous n'avons, tout simplement, qu'à patienter. Les ordres viendront ensuite !

La discussion s'arrêta là. Des flammes jaillirent dans la cheminée en partie écroulée du refuge.

— Rapprochons le gosse du feu, proposa l'un des deux compères.

Puis, se tournant vers une forme vague qui se détachait confusément auprès d'une table boiteuse, seul meuble qui, avec deux escabeaux plutôt chancelants, constituait l'unique mobilier de la misérable retraite.

— Approche, *my boy !...* appela Schutz.

Pierrot se résigna, il souffrait cruellement du froid. S'arrachant à son immobilité, il s'en fut à son tour vers le feu.

— Ça réchauffe ! fit en souriant le borgne.

Et le boiteux, son second gardien, de demander aussitôt :

— Tu dois avoir l'estomac dans les talons, après une telle promenade ?

— Plutôt ! repartit Pierrot.

Ned s'empressa alors de fouiller dans une sacoche où étaient enfouies quelques provisions. En quelques instants, il brandit une saucisse et la tendit au jeune reclus qui s'empressa de l'attaquer à belles dents.

— On dirait qu'il n'a pas mangé depuis huit jours ! s'exclama Schutz en tendant à son tour à l'enfant un morceau de biscuit.

Pierrot ne dit mot. Il semblait se résigner peu à peu à son sort ; de plus, accablé de lassitude, il éprouvait le besoin de prendre quelque chose de chaud. Aussi son visage s'épanouit-il quand il entendit chanter la bouilloire qui chauffait depuis un moment sur le feu. Une appétissante odeur de café se répandit dans le refuge.

— Tiens !... Voilà encore pour toi, fit le boiteux.

Ned tendit une timbale remplie de café au jeune reclus, mais à peine Pierrot l'eut-il portée à ses lèvres qu'il poussa une exclamation :

— Aïe ! Ça brûle !...

Ce qui déclencha aussitôt de gros rires chez ses deux gardiens.

— Ferme la bouche ! ricana Ned.

— Tu aurais dû faire attention ! objecta, de son côté, le boiteux.

Pierrot ne répondit pas ; ce fut avec beaucoup de circonspection qu'il porta de nouveau la timbale à ses lèvres. Et, à petites gorgées, il se mit à boire.

Pour la première fois depuis des heures, l'enfant éprouva une agréable sensation de bien-être. Une bienfaisante chaleur parcourait tout son corps.

— Alors ? interrogea Ned au bout d'un moment. C'est bon ?...

— Puis-je en avoir d'autre ? questionna Pierrot.

— Voyez-vous ce gourmand !

Clignant malicieusement de l'œil, le coquin ajouta :

— On voit bien que nous avons versé un peu de rhum dedans !... Ça n'a pas son pareil pour donner le coup de fouet à un homme, à plus forte raison à un gosse de ton envergure !

Pendant un moment, Pierrot continua de se réconforter auprès du feu ; après avoir mangé de leur côté sur le pouce, ses deux gardiens s'installèrent de part et d'autre du refuge. Schutz porta la main à sa poche et en retira un jeu de cartes tout crasseux.

— Une petite partie ? interrogea-t-il en se penchant vers son compère.

— Avec plaisir ! consentit aussitôt Ned. Ça nous fera prendre patience en attendant que le *boss* nous rejoigne.

Le boiteux esquissa un grognement maussade :

— Il fera bien de se presser, le *boss* !... S'il faut encore passer toute la nuit dans cette infâme baraque !

Ned semblait prendre son mal en patience beaucoup mieux que son compagnon.

— Rassure-toi, opina-t-il, quand le *boss* dit qu'il viendra, il est presque toujours fidèle au rendez-vous ! Mais tu sais bien qu'il est aux prises avec de nombreuses difficultés ! Et pas seulement avec la police !... Stillson opère, lui aussi, dans le secteur... Et tout le monde sait que Stillson est un adversaire d'envergure ! S'il peut trouver encore une fois l'occasion de nous couper l'herbe sous le pied, il s'empressera de la saisir !

Schutz serra rageusement le poing.

— Qu'il aille au diable, Stillson !... maugréa-t-il, exaspéré. Il faut à tout prix lui faire son affaire !... Tant qu'il vivra, nous devons nous attendre à subir des échecs de plus en plus cuisants !...

Le boiteux allait se perdre en considérations et en invectives quand Ned l'arrêta d'un geste.

— Un peu de calme !... objecta-t-il. Si tu continues à te lamenter de la sorte, tu t'exposes à recevoir un sérieux coup de bambou !... Et tu sais bien que jamais il ne fut plus nécessaire de conserver tout notre sang-froid !

Le boiteux parut alors se résigner ; quelques instants plus tard, les deux compères se mirent à jouer aux cartes.

Pierrot avait assisté sans broncher à la discussion engagée par ses deux gardiens. Accroupi sur une couverture déchirée en plusieurs endroits, l'enfant s'abandonnait, une fois de plus, à ses réflexions.

Le jeune prisonnier se sentait maintenant en meilleure forme ; s'arrachant peu à peu à l'engourdissement qui l'avait rendu tout à fait incapable de réfléchir, il s'efforçait de rassembler ses idées et de mettre un peu de cohésion dans ses souvenirs.

Soudain, Pierrot tressaillit. Ses regards se portaient sur le sac de cuir qu'il avait emporté avec lui.

Et, brusquement, les souvenirs lui revinrent. Il se

rappela avoir à plusieurs reprises laissé tomber un santon, à mesure qu'il s'éloignait vers l'inconnu. L'histoire
du Petit Poucet l'avait particulièrement frappé ; toutefois, en s'abandonnant à son imagination, il se demandait si cette initiative pourrait lui permettre d'être
secouru.

Peu à peu, les deux gardiens se laissaient prendre au
jeu et Pierrot, qui ne les quittait pas des yeux, se
demandait s'il ne pouvait profiter de cette occasion.

La porte du refuge était très proche de l'endroit où
était étendu le jeune prisonnier. Il mesura des yeux la
distance qui le séparait du borgne et du boiteux.

Toutefois, en dépit de l'impérieux désir qu'il éprouvait de recouvrer sa liberté, l'infortuné comprit quels
terribles obstacles pourraient se dresser devant lui.

De toute évidence, Pierrot pouvait peut-être réussir à
se défiler et à franchir le seuil de la misérable retraite.
La porte ne tenant que par prodige, il pouvait aisément
se faufiler au dehors... Mais que pourrait-il espérer
ensuite ?

Repris tout entier par ses appréhensions, Pierrot préféra attendre encore. Plusieurs fois, depuis qu'il était
arrivé à la cabane de Horseshoe Bend, il avait entendu
les hurlements des loups qui erraient dans le voisinage,
faméliques, toujours en quête d'une proie !...

L'enfant éprouvait un désagréable frisson à la pensée
de se retrouver tout seul en présence des carnassiers ;
aussi, à la réflexion, préféra-t-il demeurer, jusqu'à nouvel ordre, en compagnie du boiteux et du borgne.

Un quart d'heure s'écoula encore.

— Toujours personne !... maugréa Ned, repris par ses
appréhensions. Je commence à penser qu'il lui est
arrivé quelque chose !...

Schutz haussa ironiquement les épaules.

— Décidément, tu deviens trembleur comme une
vieille femme ! dit-il.

Pendant quelques instants, ils se tournèrent vers le
feu. Pierrot s'immobilisait, les yeux fermés.

— Touchante candeur de l'enfance ! ricana le borgne.

— Il a de la chance de pouvoir sommeiller ainsi ! surenchérit Schutz, non sans hargne. En ce qui me concerne, avec toutes ces histoires, je ne pourrais réussir à fermer l'œil.

Et, comme son compère éclatait de rire, il s'empressa d'ajouter :

— Que veux-tu, tu es bien heureux de manifester un si bel optimisme ! Pour ma part, depuis quelques jours, j'ai tout à fait l'impression de danser sur un volcan !

— Repose-toi, si tu te sens fatigué ! conseilla tranquillement le borgne.

Ce sage conseil ne fit qu'accroître l'exaspération du boiteux.

— Me reposer ! vociféra-t-il. Tu en as de bonnes !... Avec toutes ces affaires que nous avons actuellement sur les bras et avec la présence de la bande à Stillson dans le secteur, tu t'imagines qu'on peut rester ainsi à se tourner les pouces !

La discussion tournait à l'aigre entre les deux compères ; Pierrot ne cessait de les observer.

— Et maintenant, coupe !... s'exclama Schutz, agacé par les continuelles jérémiades de son acolyte.

Ned s'exécuta et la partie reprit, assez mollement menée par le boiteux.

Au dehors, le vent continuait de souffler lugubrement. La flamme de la lampe-tempête que Ned avait allumée dès son arrivée dans le refuge vacillait, menaçant à chaque instant de s'éteindre. Dans la cheminée aux parois lézardées, le feu continuait de brûler ; de capricieux coups de vent rejetaient à tout moment la fumée à l'intérieur du refuge, rendant l'atmosphère irrespirable.

Tout à coup, la lampe s'éteignit. Proférant un sourd juron, Ned se disposait à chercher une brindille enflammée dans le brasier pour la rallumer quand, brusquement, une voix forte se fit entendre :

— Haut les mains, tous les deux, et vivement !...

Une double exclamation de stupeur accueillit cette injonction aussi brutale qu'imprévue. Et Pierrot, qui s'était redressé sur son séant, aperçut une silhouette qui se dressait sur le seuil.

Tout d'abord, l'enfant put croire qu'il était victime d'une illusion : l'homme qui intervenait ainsi et qui tenait les deux compères sous la menace d'un colt, il le reconnaissait au premier coup d'œil : c'était, à n'en point douter, l'homme à la canadienne, qui voyageait naguère avec lui dans le train.

— Allons, dépêchez-vous !... Sinon, gare la casse !...

Ned et Schutz demeuraient encore sous le coup de la profonde surprise que leur causait une aussi foudroyante intervention.

— Hello ! Cannon, ajouta alors Catamount, entre et occupe-toi de ces gaillards-là !...

La silhouette vigoureuse du *cowpuncher* se dressait à son tour sur le seuil. Depuis un certain temps, il avait attendu au dehors avec le ranger ; puis, estimant que l'attention des deux gardiens de Pierrot se trouvait suffisamment détournée, ils s'étaient décidés à passer à l'action.

En moins de deux minutes, Tom Cannon s'empressa de déboucler les ceintures bourrées de cartouches et les étuis à revolver que portaient les deux acolytes de Moralès. Tandis qu'il prenait cette précaution indispensable, Catamount ne cessait de tenir les deux coquins sous la menace de son arme.

Ned et Schutz faisaient piteuse mine. L'attitude menaçante de l'homme aux yeux clairs leur avait fait tout de suite comprendre qu'il eût été dangereux pour eux d'esquisser le moindre geste de résistance.

Les yeux agrandis par la stupeur, Pierrot assistait à ce déconcertant coup de théâtre. Il vit l'homme aux yeux clairs tirer deux paires de menottes de sa poche.

— Et maintenant, vous autres, tendez-moi vos poignets !

Bon gré mal gré, Ned et le borgne s'exécutèrent ; les bracelets d'acier se refermèrent bientôt, avec un claquement métallique, autour de leurs poignets.

Le premier Schutz tenta de réagir :

— C'est une infamie ! protesta-t-il avec force. Vous n'avez pas le droit...

— Un seul homme peut agir de la sorte, surenchérit le boiteux, Tim Melcart !...

Mais le ranger ne se laissa pas impressionner :

— Inutile de chercher à vous dérober et à passer pour de petits saints, mes deux gaillards ! ricana-t-il. Tim Melcart est une de mes vieilles connaissances !... Et c'est avec son approbation complète que nous avons engagé cette petite opération !...

Puis, comme les deux compères faisaient piteuse mine, Catamount s'empressa d'ajouter :

— D'ailleurs, Melcart nous a prêté des chevaux pour nous lancer sur vos traces !...

— On les emmène ? demanda alors Tom Cannon.

— Pas tout de suite, repartit aussitôt l'homme aux yeux clairs. L'opération n'est pas achevée... Ces deux coquins ne sont que tu menu fretin !... La « grosse pièce » ne tardera sans doute pas à venir les rejoindre... Alors, nous aurons beau jeu !...

Désignant ensuite les deux prisonniers à Tom Cannon, Catamount conseilla :

— Pour éviter toute fâcheuse surprise, je crois qu'il serait opportun de bâillonner étroitement ces deux gaillards !

— Evidemment, approuva le *cowpuncher*. C'est une précaution indispensable !...

Cette fois, Ned et Schutz tentèrent de protester, mais le ranger et son compagnon n'eurent pas de peine à les mettre dans l'impossibilité absolue de nuire.

Pierrot n'avait pas bougé pendant que se jouait cette scène aussi rapide qu'inattendue ; il en était encore à se demander si tout cela n'appartenait point au domaine du rêve.

— Eh bien ! tu n'as pas eu peur, *my boy* ?

Bien certain maintenant que ses prisonniers ne pouvaient lui échapper, le ranger s'adressait à son jeune protégé.

— Mais les santons, hasarda l'enfant, enthousiasmé, vous les avez retrouvés ?

— Je crois bien que j'ai toute la collection dans mes fontes. La Sainte Famille, les bergers, les rois mages et même les tambourinaires et le rémouleur !... Peut-être certains ont-ils subi quelques secousses ; mais à la guerre comme à la guerre !

— Et maman ? insistait Pierrot en passant affectueusement les bras autour du cou de son libérateur.

— Ta maman ? Elle t'attend à Boise, expliqua Catamount en prenant Pierrot sous les aisselles et en le maintenant soulevé pendant quelques instants.

— Je pourrai bientôt la revoir ?

— Naturellement !... Nous te ramènerons tout de suite !

Ravi, Pierrot couvrait de baisers le visage bronzé de son grand ami.

— J'ai eu raison de faire comme le Petit Poucet ! s'exclama-t-il.

— Bien sûr, tu as eu raison ! approuva Catamount, mais je crois que tu dois avant tout une fière chandelle à la Providence !... C'est elle qui a permis de trouver ainsi la bonne piste !...

Mais Tom Cannon intervint :

— Excusez-moi de vous rappeler tous les deux à la prudence, objecta-t-il. Mais n'oubliez pas que la grosse pièce n'est pas encore venue se faire prendre au fond de la nasse... Et si nous en croyons les propos que nous avons surpris, le gaillard peut arriver d'une minute à l'autre.

— Rassure-toi, nous sommes parés ! affirma l'homme aux yeux clairs.

Ils se résignèrent donc à attendre, évitant de rallumer la lampe-tempête. Dissimulés dans l'ombre, ils s'immobilisèrent, l'oreille tendue, prêts à toute éventualité.

Deux heures s'écoulèrent encore, qui parurent interminables. De guerre lasse, Pierrot s'était endormi. Au dehors, le vent glacé se déchaînait toujours avec une rage sans cesse accrue. Sous ses attaques furieuses, la cabane craquait de toutes parts. L'eau pénétrait à travers les fentes et, dans la cheminée ouverte à la bise, le feu menaçait à tout instant de s'éteindre, rejetant la fumée à l'intérieur de la ténébreuse retraite.

Etendus au fond du refuge, Ned et Schutz n'avaient pas tenté de se libérer de leurs entraves ; les bâillons que leur avait assujettis le *cowpuncher* leur interdisaient de hasarder le moindre son.

Catamount et Tom Cannon patientaient toujours, conservant leurs colts à la portée de la main. Cette veille prolongée commençait à leur susciter quelque lassitude quand, le premier, l'homme aux yeux clairs se redressa.

— Attention ! murmura-t-il dans un souffle en se penchant vers son compagnon. Quelqu'un vient !...

CHAPITRE X

L'AUTRE LARRON

Quelqu'un approchait, en effet ; une silhouette confuse s'arrêtait à quelques pas du refuge. C'était un cavalier, qui sautait lestement à bas de sa selle.

Dans la cabane régnait maintenant un silence complet. Tom Cannon et Pierrot s'immobilisaient, le dos à la muraille ; le *cowpuncher* étreignait toujours son colt, prêt à toute éventualité.

Catamount ne bougeait pas, lui non plus ; arme en main, il attendait, sur le qui-vive, prêt à agir dès que l'occasion s'en présenterait.

Ned et Schutz se raidirent dans leurs liens, sachant bien qu'il s'agissait là de leur chef qui devait les rejoindre Horseshoe Bend ; ils s'acharnaient à vouloir le mettre en garde. Toutefois, ils se dépensèrent en pure perte, Catamount et Tom Cannon avaient pris la précaution de les garrotter solidement.

Exaspérés de leur impuissance, les deux compères essayèrent alors de crier, mais les bâillons leur interdirent d'articuler le moindre son.

Le nouveau venu s'était arrêté à quatre pas de la porte. Une forte odeur de fumée l'incita à croire que Ned et Schutz devaient l'attendre, exacts au rendez-vous.

A la fin, impatienté, il se décida à appeler :

— *Hello*, Ned !... *Hello*, Schutz !... Etes-vous là ?

— *Come in !* répondit aussitôt une voix de l'intérieur.

Moralès attendit encore quelques instants ; il s'étonnait de ne pas apercevoir sur le seuil de la cabane les silhouettes de ses acolytes.

— Enfin, que fabriquez-vous, l'un et l'autre ? interrogea-t-il, impatienté.

— *Come in !...* se contenta de répéter une voix sourde.

Alors, le nouveau venu n'y tint plus ; un vent glacé lui coupait cruellement le visage. Impatient de mettre un terme à l'énervante expectative, il repoussa la porte toute branlante, puis il s'aventura à l'intérieur.

L'intrus ne put aller bien loin ; à peine venait-il de franchir le seuil de la cabane qu'une ombre se dressa derrière lui et qu'il sentit un corps dur qui s'appuyait entre ses épaules. En même temps, une voix menaçante lui enjoignait :

— Pas un mot !... Pas un geste, sinon, gare la casse !

Moralès portait instinctivement la main à la crosse de son colt ; il n'eut pas le temps d'achever son geste et de s'emparer de l'arme ; la même voix qui l'avait interpellé, quelques instants auparavant, insistait d'un ton qui n'admettait pas de réplique :

— Allons, sois raisonnable !... Lève les mains ou je tire !...

Cette fois, le nocturne visiteur ne se fit pas répéter l'injonction ; il comprenait que la moindre imprudence, en pareille circonstance, pouvait lui être fatale.

— Bien joué, Patterson, murmura-t-il sourdement.

L'homme aux yeux clairs ne chercha pas à détromper son interlocuteur déconfit.

— Avance un peu, surenchérit-il. Approche-toi du feu !...

Témoin de cette scène, Pierrot, interdit, ne hasardait pas un seul mot ; ses regards se portaient maintenant sur le nouveau venu. A la clarté capricieuse des flammes qui continuaient de dévorer le bois dans la cheminée, il pouvait discerner les traits de l'intrus.

Il n'y avait pas de doute possible, il s'agissait bien là

du même Moralès dont il avait fait la connaissance peu
de temps auparavant, dans des circonstances particulière-
rement troublantes. Instinctivement, il se blottit contre
Tom Cannon, qui attendait toujours dans l'ombre, prêt
à intervenir si la situation l'exigeait.

Mais tout demeurait tranquille, personne n'accompagnait Moralès. Et ce dernier, revenant peu à peu de sa
surprise, s'adressait à Catamount qui venait de lui réser-
ver une réception à laquelle il était loin de s'attendre.

— Mes compliments, ricana-t-il, le tour est bien
joué !

Un silence glacial accueillit ces paroles que Moralès
venait de prononcer, tout en s'efforçant de garder son
sang-froid. Alors, le nouveau venu, sans cesser de lever
les mains, se tourna vers Catamount :

— Stillson a renouvelé son personnel, à ce que je
vois, surenchérit Moralès. Ce n'est plus Shorty, cette
fois ?

Le ranger ne chercha pas à détromper son voisin et à
lui révéler sa véritable identité.

— Trêve de paroles inutiles, se contenta-t-il de déclarer.

Puis, regardant fixement l'autre dans les yeux, il lui
demanda :

— Que venez-vous faire à Horseshoe Bend ?

Moralès n'attendit pas pour reprendre :

— Je viens tout simplement chercher mon fils !...

— Votre fils ?...

Maintenant, l'aventurier semblait avoir recouvré tout
son calme.

— Ne faites pas l'imbécile !... murmura-t-il. Le gosse
est là !...

D'un signe de tête, il désignait Pierrot qu'il venait
enfin d'apercevoir.

— C'est un mensonge !... protesta aussitôt l'enfant.
Ce méchant homme n'est pas mon papa !...

— Si navré que je sois de te faire de la peine, *my boy*,
insista Moralès, je suis ton papa ; sans doute un papa

que tu n'avais jamais vu, mais qui est ton papa tout de même !

— Ce n'est pas possible, protesta l'enfant d'une voix que l'émotion faisait trembler... Maman m'aurait dit...

— Possible, coupa Moralès d'un ton cassant. Si ta maman m'a fait passer pour mort, elle avait sans doute d'excellentes raisons pour mentir de la sorte !...

— Vous êtes un misérable !... Maman n'est pas une menteuse !... Je l'aime bien, ma maman !... Et je la retrouverai coûte que coûte, et malgré vous !

Un mauvais sourire plissa les lèvres de l'aventurier.

— Décidément, ricana-t-il, tu ne doutes de rien !... Si les gens de Stillson m'ont précédé ici, c'est tout simplement parce qu'ils ont l'intention de te mettre en lieu sûr et de te conserver jusqu'à nouvel ordre en qualité d'otage.

Une fois de plus, Catamount ne dit rien qui pût dissiper l'équivoque. Peu lui importait que Moralès le prît, avec Tom Cannon, pour des acolytes de Stillson.

Et Moralès de reprendre alors :

— En vérité, le tour est bien joué !... Je respecte le *fair-play* ; mais j'espère bien que nous aurons quand même la dernière manche.

— Tout est possible ! fit tranquillement l'homme aux yeux clairs. La balance penche soit d'un côté, soit de l'autre... Et c'est toujours le plus malin qui gagne !...

Moralès, commençant à se lasser, protesta :

— Va-t-on me laisser longtemps dans cette posture ? Je commence à me fatiguer !...

— Enlève-lui sa ceinture d'armes !... fit le ranger en s'adressant au *cowpuncher*, qui n'avait pas bronché depuis l'apparition de Moralès.

Tom Cannon s'approcha, pendant que Catamount maintenait toujours Moralès sous la menace de son revolver ; il s'empressa de déboucler la ceinture et de la déposer avec celles de ses deux acolytes.

— Et maintenant, les poches ! reprit le ranger.

Bon gré mal gré, l'aventurier dut se résigner à se laisser fouiller ; tour à tour, le *cowpuncher* tendit à Catamount quelques menus objets : une blague à tabac, un couteau à cran d'arrêt, un portefeuille et un carnet crasseux où manquaient quelques pages arrachées.

— C'est là un butin plutôt maigre, ricana Moralès. Vous vous donnez bien du mal tous les deux !... Stillson fera la grimace quand vous lui remettrez votre butin !

— Pose tout ça sur la table, demanda le ranger au cowpuncher, qui s'empressa de lui obéir, sans prononcer un seul mot.

Mais Catamount se tournait de nouveau vers l'aventurier :

— Tu peux baisser tes mains !... lui fit-il.

— A la bonne heure !... Je commençais à m'engourdir...

— Trêve de bons mots ! interrompit l'homme aux yeux clairs. Et n'oublie pas que, si je t'ai permis jusqu'à nouvel ordre de conserver tout liberté de mouvement, je demeure toujours absolument décidé à t'abattre comme un chien à la moindre tentative de fuite de ta part !...

Tout en prononçant ces mots, Catamount désignait le colt qu'il conservait toujours dans sa main droite.

— Qu'es-tu venu faire à Horseshoe Bend ? interrogea enfin le ranger.

— Je suis venu chercher mon fils !

D'un geste de la main, l'aventurier montrait Pierrot, dont la réaction fut immédiate :

— C'est un mensonge ! protesta-t-il avec indignation. Il n'est pas mon papa !

Moralès insista, puis, désignant le portefeuille que Tom Cannon avait déposé avec les autres objets sur la table, il déclara :

— Vous pouvez examiner mes papiers d'identité. Ils vous apprendront que je suis irréfutablement le père de cet enfant.

— Puisque je vous dis que non !... surenchérit Pierrot avec force.

Ce qui lui valut aussitôt de l'aventurier cette riposte non dénuée d'ironie :

— Tu es encore trop petit pour comprendre !... Mais ces papiers constituent des preuves irréfutables... Et si ta maman était là, elle ne pourrait que reconnaître la vérité !...

— Ces papiers sont en règle, approuva Catamount, vers qui Pierrot attardait un regard angoissé.

Moralès se redressa ; son visage basané s'épanouit.

— Tu vois bien !... fit-il, triomphant, à l'enfant qui s'immobilisait, atterré, prêt à éclater en sanglots.

Pierrot ne s'expliquait pas pourquoi son intrépide protecteur abondait dans le même sens que ce Moralès pour qui il éprouvait une irrésistible antipathie.

Ses inquiétudes s'atténuèrent pourtant ; tandis que Moralès récupérait les objets que Tom Cannon avait découverts dans ses poches, Catamount reprenait, en s'adressant encore à l'aventurier :

— Bien que tu sembles en règle, il y a quelque chose que je ne parviens pas à m'expliquer...

— Quelque chose ? répéta l'aventurier. En vérité, je ne vois pas...

— J'estime, précisa alors le ranger, qu'il peut apparaître singulier que tu aies attendu plus de six ans avant de manifester le désir de reprendre ton fils ?

Moralès ne parut pas autrement embarrassé.

— Je n'ai rien d'une nourrice sèche, répliqua-t-il, sarcastique, c'est pourquoi je l'ai laissé jusqu'ici aux bons soins de sa mère... Mais, maintenant, il grandit et je suis prêt à l'aider à préparer son avenir !

— Voilà, certes, une excellente intention, ironisa Catamount, mais tu n'ignores pas, tout comme moi, que l'enfer lui-même est pavé de bonnes intentions !...

Puis, comme son interlocuteur faisait la moue, l'homme aux yeux clairs s'empressait d'ajouter :

— Le gosse n'a guère plus de cinq ans. Dans ces conditions, il a encore quelques années devant lui, avant de comprendre exactement dans quelle voie il lui faudrait s'engager !...

— Possible, admit l'aventurier, la thèse est défendable !... Mais Pierrot est mon fils et je conserve sur lui tous les droits.

Moralès commençait à s'énerver, mais cette excitation ne semblait guère en imposer à son interlocuteur, qui l'observait avec insistance, comme s'il eût voulu connaître ses plus secrètes pensées.

— N'essaie pas de me jouer la comédie, déclara le ranger en appuyant sur ses mots, je ne suis pas dupe !...

Et, regardant fixement son interlocuteur dans les yeux, il ajouta :

— Moralès, tu n'es qu'une crapule !... Inutile de chercher à nous donner le change !

— Minute !... Je vous mets au défi de le prouver... Et rien ne saurait m'empêcher de m'opposer à ce que je considère comme une infamie !...

L'aventurier haussa ironiquement les épaules, puis il reprit :

— C'est Stillson qui te donne ces bons principes ? interrogea-t-il non sans malice.

— Que ce soit Stillson ou un autre : peu importe ! riposta le ranger. Avant tout, sache bien que je lis dans ton jeu !... Tu voudrais élever Pierrot dans l'ambiance où tu as l'habitude de vivre !... Une ambiance de joueurs, de coquins et d'énergumènes, tous aussi équivoques et sujets à caution les uns que les autres !... C'est pour cela que tu es venu chercher le petit !... Eh bien ! il ne te suivra pas !... Sa place n'est pas auprès d'un gredin de ton espèce !

— Que tu le veuilles ou non, répéta l'autre, j'ai des droits sur lui, des droits imprescriptibles que je saurai faire valoir !...

Pendant quelques instants, la discussion s'arrêta. Pierrot, le visage altéré par l'angoisse, attardait sur Catamount des yeux suppliants.

Soudain, l'enfant, plus ému que jamais, se tourna

vers Tom Cannon qui attendait, immobile, auprès des deux prisonniers, toujours dans l'impossibilité d'esquisser le moindre mouvement.

— Que veux-tu donc ? interrogea le cowpuncher en se penchant vers son jeune voisin qui lui murmurait quelques mots à voix basse, à l'oreille.

— Il voudrait sortir quelques instants, précisa Tom Cannon. Mais il a peur de s'éloigner tout seul !

— *O.K. !...* Accompagne-le !... fit simplement Catamount.

Ils sortirent ensemble et Moralès et le ranger se trouvèrent face à face.

En dépit des paroles menaçantes que lui avait adressées l'homme aux yeux clairs, l'aventurier n'avait rien abandonné de ses intentions.

— D'ailleurs, objecta-t-il, à quoi bon nous agiter de la sorte... puisque tu dois amener le gosse à Stillson !

— A Stillson ?

Catamount, dans le feu de la discussion, oubliait que Moralès le considérait comme un des membres les plus actifs du trop célèbre gang qui faisait, depuis longtemps, parler de lui en Idaho.

Et Moralès de proposer, conciliant :

— Combien veux-tu ?

Le ranger se redressa, les sourcils froncés :

— Je ne suis pas à vendre, répliqua-t-il d'une voix ferme.

L'aventurier ne semblait pas convaincu.

— Que dirais-tu de mille dollars ? insista-t-il. C'est une somme !... Et tu n'auras pas besoin de raconter à Stillson...

— Mille dollars ? ricana Catamount.

— Pour que la situation soit nette, mieux vaut jouer entre nous cartes sur table !... D'autant plus que j'ai les *bank-notes !*

Plus désireux que jamais de s'assurer les services et la complaisance de son énergique interlocuteur, il surenchérit encore :

— Parlons franc !... Deux mille dollars !... Mais en nous libérant tous les trois et en nous remettant le gosse...

— Rien à faire !...

Catamount s'était exprimé sur un tel ton que Moralès comprit qu'il se heurtait à une volonté intraitable.

— Patience !... murmura-t-il entre ses dents. Tu regretteras sans tarder de n'avoir pas saisi une aussi magnifique occasion.

Une fois de plus, ce fut le silence, un silence que venaient troubler les hurlements lugubres du vent, toujours déchaîné, dont les attaques incessantes faisaient craquer la cabane.

— Si cela continue, hasarda Moralès, la bicoque va s'écrouler sur nous !...

Et, comme son voisin demeurait immobile, il surenchérit :

— Il en met un temps, le gosse !...

Le ranger fronça les sourcils. Dans le feu de la discussion, il avait oublié le *cowpuncher* et le jeune garçon.

— Patterson va lui faire prendre mal, au petit !... surenchérit l'aventurier, pendant que le masque de Catamount se crispait de plus en plus.

— Patterson ? répéta le ranger, visiblement intrigué. Je ne connais pas de Patterson ?

— Vraiment ?

Moralès ne cherchait plus à dominer son étonnement.

— N'es-tu pas de la bande à Stillson ?... interrogeat-il.

Catamount éluda la question et se contenta de préciser :

— C'est Tom Cannon, qui était avec le petit.

La surprise qu'éprouvait, en cette occurrence, l'homme aux yeux clairs s'affirmait telle qu'il ne parvenait pas à se dominer. Et Moralès d'éclater de rire, enchanté de pouvoir prendre sa revanche :

— Je ne connais pas Tom Cannon, expliqua-t-il. Mais

que je sois damné si le prétendu Cannon n'est pas Bill
Patterson, le « bras droit » de Stillson !

— Ce n'est pas possible !... protesta Catamount.

— Il serait utile de vérifier tout de suite !... insinua
l'aventurier. Je connais Patterson de longue date et je
suis sûr de ne pas me tromper !...

Le ranger s'était redressé, tendant l'oreille... Il supposait tout d'abord qu'il s'agissait là d'un subterfuge
auquel recourait son interlocuteur pour chercher à se
dérober. Le vent continuait de se déchaîner au dehors,
rabattant encore la fumée du feu à l'intérieur du refuge.

— Allons, lève-toi ! ordonna Catamount à son interlocuteur. Nous allons bien voir. Et, surtout, qu'il ne
s'agisse pas là d'un prétexte pour me glisser entre les
doigts !...

L'homme aux yeux clairs étreignait toujours son colt,
prêt à tirer à la moindre tentative de Moralès, mais ce
dernier se laissa accompagner docilement jusqu'à la
porte, qu'il repoussa d'un coup d'épaule.

Un tourbillon de neige s'engouffra à l'intérieur du
refuge. Fustigés en plein visage, les deux hommes s'arrêtèrent un instant, mais ils se reprirent vite et la voix
forte de Catamount domina les hurlements lugubres de
la tourmente :

— Pierrot !... Cannon !... Où êtes-vous ?...

A plusieurs reprises, l'homme aux yeux clairs renou-
vela ses appels.

— Vous voyez bien que j'avais raison ! ricana Moralès, plus sarcastique que jamais. Bill Patterson a saisi
l'occasion d'enlever le gosse !... Et, maintenant, tandis que nous nous regardons l'un et l'autre en chiens de
faïence, il s'empresse d'emmener Pierrot à Stillson !...

CHAPITRE XI

En dépit du trouble qui le tourmentait maintenant tout entier, Catamount s'efforçait de conserver tout son calme ; fouillant l'obscurité du regard, il s'essayait en vain d'apercevoir Pierrot et le prétendu Tom Cannon.

Moralès, par contre, se sentait en proie à une profonde hésitation ; cette double disparition le prenait totalement au dépourvu et bouleversait complètement ses projets.

Jusqu'ici, soucieux de parer à toute manœuvre de la part de Moralès et de ses acolytes, l'homme aux yeux clairs n'avait pas éprouvé le moindre soupçon à l'égard du *cowpuncher*, qu'il considérait plutôt comme un allié sérieux à qui il pouvait accorder toute confiance.

— J'ai l'impression que vous aurez grand-peine à les retrouver avec ce failli chien de vent !... hasarda enfin Moralès. D'autant plus que le coquin a dû prendre toutes les précautions nécessaires pour se mettre rapidement hors d'atteinte, avec le gosse !...

Le ranger s'empressa aussitôt de répondre :

— Le gosse ?... Je me demande un peu ce qu'il pourrait bien faire de lui en pareille occurrence ?...

Haussant le ton pour se faire mieux entendre de son voisin, Catamount surenchérit :

— Le gosse ne saurait être pour lui qu'une entrave !

Ce qui lui valut aussitôt cette réponse de l'aventurier :

— Bill Patterson sait bien ce qu'il fait !... L'enfant servira d'otage à son chef !... Comme monnaie d'échange, le rascal ne pouvait trouver mieux, car il sait, lui aussi, que Pierrot est mon fils !... Alors, il espère pouvoir nous forcer ainsi la main !

L'homme aux yeux clairs n'insista pas, la situation lui apparaissait suffisamment nette : le groupe de Moralès livrait une lutte impitoyable à un autre gang, dirigé par le tristement célèbre Stillson, dont Catamount avait déjà entendu prononcer le nom à plusieurs reprises, depuis qu'il opérait dans l'Etat d'Idaho.

Pendant quelques instants, les deux hommes esquissèrent quelques pas dans la nuit sombre. Revenu de sa surprise, furieux d'avoir été ainsi pris à l'improviste, le ranger comprenait qu'il lui faudrait complètement réviser la question qui se présentait actuellement à lui sous un angle bien différent.

La voix sonore de Moralès interrompit bien vite les réflexions du ranger :

— Quand je vous le disais !... Les chevaux ont déguerpi, eux aussi ne sont plus là !... Décidément, le maudit coquin avait bien préparé son coup d'audace ! Il savait qu'en nous privant de notre cavalerie, il aurait plus de chance de se mettre rapidement hors d'atteinte avec le gosse !

— Evidemment, admit Catamount, ça ne fait pas l'ombre d'un doute, d'autant plus que Pierrot, en admettant qu'il ait tout de suite mesuré le danger, a eu beau crier... Avec un vent pareil, il ne pouvait certainement pas se faire entendre !

Une rapide inspection permit au ranger et à son compagnon de se rendre compte, en effet, que le prétendu *cowpuncher* avait pris toutes ses précautions pour éviter d'être rejoint.

— *Damn !...* pesta Moralès. Il faut en prendre notre parti et retourner à la cabane !... Impossible d'engager des recherches en pleine nuit, par un temps pareil !...

De guerre lasse, les deux hommes se résignèrent donc

à rejoindre la fragile retraite. Et Moralès laissa échapper un soupir de satisfaction quand ils se retrouvèrent devant le feu.

Tout d'abord, ils tendirent vers la flamme vacillante leurs mains raidies et gercées par le froid. L'un et l'autre laissaient tout à loisir vagabonder leurs imaginations.

— Alors, hasarda enfin, le premier, Moralès, que comptez-vous faire ?...

Le ranger haussa évasivement les épaules. Aussi, son compagnon s'empressa-t-il de surenchérir, excédé :

— En vérité, vous devez être fier des résultats que vous avez obtenus ! Une telle leçon doit vous apprendre qu'il est parfois hasardeux de mettre le nez dans les affaires des autres !...

Catamount ne s'avisa pas de protester. Il se reprochait terriblement de n'avoir pas un instant soupçonné le prétendu Tom Cannon. Et Moralès de se pencher vers lui :

— Maintenant, j'ai quelques raisons de croire que vous n'allez pas laisser ces deux gaillards dans une position aussi incommode !...

Tout en prononçant ces mots, l'aventurier désignait le boiteux et le borgne, toujours nantis de leurs entraves.

— Vous n'avez pas le droit d'infliger à ces malheureux un pareil traitement ! surenchérit Moralès, dont le ton se faisait plus impérieux.

— Minute !... Il me semble que je suis assez grand pour savoir ce que je dois faire en une telle occurrence !...

Le ranger allait se fâcher tout rouge ; les propos trop acides que lui tenait son interlocuteur commençaient à l'exaspérer. Aussi Moralès ne s'avisa-t-il plus d'insister.

Au dehors, le vent poursuivait ses assauts furieux. Mais, bientôt, l'aventurier se redressa. D'autres hurlements se faisaient entendre dans le voisinage immédiat de la croulante retraite...

— Les loups !... murmura Moralès dans un souffle.

Aussitôt, Catamount pensa à Pierrot. Que devenait son jeune ami, aux prises avec la tourmente glacée ?...

— Ils ont flairé quelque chose !... murmura encore Moralès.

Levant ensuite le doigt, il ajouta :

— Ecoutez !... Ils arrivent, de plus en plus nombreux !...

Vaguement, un hennissement éperdu se fit entendre.

— Les chevaux !... vociféra l'aventurier. Ils attaquent les chevaux que ce coquin de Patterson a pris soin d'éparpiller en prenant la fuite avec le gosse !

Catamount sentit son cœur se serrer. Il pensait, lui aussi, à Pierrot et aux angoisses qui pouvaient le tourmenter dans la nuit noire...

Moralès s'était levé.

— Vite ! répéta-t-il au ranger en lui désignant Ned et Schutz, libérez-les !... A quatre, nous ne serons pas de trop !...

L'homme aux yeux clairs n'hésita plus. Etant donnée la tournure qu'empruntaient les événements, il n'avait plus aucune raison de conserver les deux compères à sa merci... Portant la main à sa poche, il en retira une clef et se résigna à libérer le boiteux et le borgne.

Ned et Schutz allaient se répandre en invectives à l'adresse du ranger, quand Moralès les devança :

— Vite !... enjoignit-il. Essayons tout d'abord de récupérer les chevaux !... Je n'éprouve aucune envie de geler sur place !...

Et, comme le boiteux voulait parler encore, il l'arrêta d'un ton bref :

— Nous bavarderons plus tard !... objecta-t-il. En attendant, il faut agir si nous ne voulons pas mourir de froid dans ce chien de pays !...

Moralès brandit un tison qu'il venait de prendre au foyer.

— Allons-y ! commanda-t-il en s'effaçant pour laisser passer Catamount...

Mais le ranger se recula prudemment pour livrer passage aux deux autres.

Une fois de plus, ils s'aventurèrent à travers la nuit glacée. La flamme qui servait de torche à Moralès vacillait terriblement sous les attaques furieuses de la bise déchaînée.

A moins de trente pas du refuge, les quatre hommes aperçurent alors de nombreux points qui brillaient dans les ténèbres, en même temps qu'une odeur forte leur arrivait, emportée par le vent furieux.

Les loups étaient là, qui s'acharnaient contre une carcasse de cheval, déjà en partie dévorée. Faméliques, ils se précipitaient à la curée, rejoints à tout moment par d'autres groupes de leurs congénères qui arrivaient, comme attirés par un mystérieux instinct.

— Feu sur ces sales bêtes ! hurla Moralès en déchargeant le colt qu'il brandissait en direction des carnassiers...

Trois des loups s'écroulèrent, mortellement atteints, mais leurs congénères n'en parurent pas plus calmés pour cela ; ils continuèrent de s'acharner sur leur proie, sans plus s'inquiéter de l'approche des hommes que si ces derniers n'eussent point existé.

Catamount ne s'était pas encore servi de son arme ; il s'aventurait à pas lents, le doigt sur la détente de son revolver. L'odeur forte des fauves semblait l'imprégner tout entier.

Bang !... Bang !...

Poussé par un impérieux instinct de conservation, le ranger se laissa tomber brusquement à plat-ventre. Deux balles venaient en effet de siffler à ses oreilles.

— Pas d'erreur !... pesta l'homme aux yeux clairs. C'est moi qu'on prend comme cible !...

Deux nouveaux coups de feu rententirent, deux autres balles s'en furent se perdre dans la neige sans cesse balayée et emportée par le vent.

— Cette fois, hurla une voix que Catamount reconnut pour être celle de Ned, je crois qu'il en tient !... Il est tombé !...

— *O.K.* !... approuva Moralès.

Et l'aventurier de surenchérir, en s'approchant de ses deux acolytes :

— Et maintenant, revenons !... Inutile de gâcher nos cartouches !...

Sans plus attendre, les trois compères s'en revinrent vers la cabane, dont ils refermèrent la porte derrière eux.

— Les maudites canailles !...

Le ranger, toujours étendu, immobile, n'avait pas de peine à comprendre la manœuvre menée par Moralès et ses deux complices. Tout en prétendant récupérer les chevaux égarés, les trois coquins s'étaient empressés de se débarrasser d'un adversaire qu'ils estimaient particulièrement redoutable.

Catamount ne s'attarda pas plus longtemps à réfléchir. La première pensée qui lui vint à l'esprit fut, d'abord, de rejoindre à son tour le refuge ; mais il comprit que mieux valait, pour l'instant, s'abstenir... Le trio demeurait sur ses gardes et ne manquerait pas de l'abattre dès qu'il s'aviserait de rejoindre la cabane.

Et puis, l'homme aux yeux clairs n'oubliait pas la promesse qu'il avait faite à Marie-Claire avant son départ de Boise. Par tous les moyens, il s'efforcerait de protéger le jeune disparu et de le ramener sain et sauf à sa maman éplorée.

Pierrot !... Où devait-il être en ce moment ?... Jusqu'où le faux *cowpuncher* l'avait-il conduit ?... Avait-il trouvé un prétexte pour le convaincre ou bien avait-il recouru à la menace et à la violence ?

Jusqu'ici, le prétendu Tom Cannon semblait sympathiser avec Pierrot, mais conserverait-il cette attitude, maintenant qu'il avait mis bas le masque ?

Toutefois, Catamount remit à plus tard l'examen de ces questions qui ne présentaient pas pour lui d'intérêt immédiat. Pour le moment, il importait de réagir.

La senteur forte des loups qui se bousculaient furieusement autour de la carcasse d'un cheval aux deux tiers nettoyée continuait de l'imprégner tout entier.

L'homme aux yeux clairs désirait avant tout assurer sa sauvegarde. Il s'imaginait bien que, s'il venait d'échapper providentiellement aux balles que lui avaient envoyées Moralès et ses acolytes, il pouvait avoir moins de chance de se soustraire à la fureur et à la voracité des loups.

Renonçant donc à rejoindre l'abri pour affronter les trois coquins, Catamount opéra une délicate retraite. Avançant à l'aveuglette, le visage sans cesse coupé par la bise cruelle... Mais la couche de neige demeurait telle qu'il s'effondra à plusieurs reprises.

Par bonheur, l'instinct de survivre coûte que coûte l'emporta bien vite... Plus que jamais, le ranger demeurait décidé à prendre implacablement sa revanche, tant sur le prétendu Tom Cannon, qui s'était joué de lui, que sur Moralès, qui avait tenté par deux fois de le supprimer à la sortie de la cabane de Horseshoe Bend...

En dépit des difficultés de toutes sortes, Catamount demeurait fermement résolu à avoir le dernier mot. Le souci de vaincre et de protéger Pierrot contre les pires dangers l'emportait aussi, chez lui, sur toute autre considération.

Au bout d'un moment, le ranger s'arrêta pour reprendre son souffle... Il ne parvenait toujours pas à se défaire de l'âcre odeur qui semblait l'avoir entièrement pénétré. Autour de lui, c'était toujours l'obscurité la plus complète.

L'homme aux yeux clairs n'oubliait pas quel était pour lui le danger le plus immédiat... Dès que les loups auraient achevé de dévorer le cheval qu'ils avaient surpris en train d'errer sur les pentes, ils ne tarderaient pas à éventer sa présence et une chasse implacable s'engagerait, au cours de laquelle il courrait bien des risques d'être abattu.

La moindre hésitation pouvait tout compromettre, aussi Catamount reprit délibérément son mouvement de retraite.

Pendant combien de temps le rôdeur nocturne s'aventura-t-il ainsi au juger ? Il se sentait absolument incapable de s'en rendre compte ; les minutes qui s'écoulaient lui semblaient interminables. De fréquents hurlements partaient dans la nuit et lui rappelaient que le danger subsistait, plus angoissant que jamais !...

Soudain, le ranger s'arrêta... Il demeurait épuisé, son cœur battait à coups précipités... Son masque était tout inondé de sueur, en dépit du froid si vif. Immobile, il tendit l'oreille ; il lui semblait discerner quelque chose qui n'était ni les hurlements des loups, ni les sifflements lugubres de la bise, plus que jamais déchaînée...

— Un hennissement de cheval ?...

Catamount s'aperçut bientôt qu'il ne s'agissait pas là d'une illusion. Un nouveau hennissement se fit entendre, plus rapproché encore.

Dès lors, l'homme aux yeux clairs comprit qu'un des chevaux que le prétendu Tom Cannon avait dispersés, en prenant la fuite avec Pierrot, devait rôder dans le voisinage. Et, tout de suite, il se proposa de le rejoindre et de tenter, par tous les moyens, de le capturer.

Le ranger ne se dissimulait pas qu'il s'agissait là d'une entreprise particulièrement délicate. Séparés l'un de l'autre, l'homme et la bête couraient le risque d'être attaqués et réduits en pièces par les carnassiers. Par contre, ensemble, ils avaient encore des chances d'échapper à la mort.

Le cheval hésitait encore, les oreilles dressées. Les regards du ranger, habitués de plus en plus à l'obscurité, discernèrent vaguement sa silhouette... S'arrêtant, Catamount hasarda un léger sifflement.

A ce moment, le ranger regrettait terriblement de n'avoir pas avec lui son fidèle Mezquite ; l'alezan n'eût évidemment point manqué de reconnaître son cavalier. Plus méfiant, l'autre s'immobilisait, toujours sur le qui-vive, prêt à se dérober...

A deux reprises, l'homme aux yeux clairs essaya d'approcher l'animal solitaire. Effarouchée, la bête se défila... Enfin, une troisième fois, Catamount se sentit plus heureux.

— Victoire !... s'exclama-t-il. Nous y sommes !...

Après avoir calculé son élan, le ranger happa la bride qui pendait et qu'il emprisonna dans ses mains nerveuses.

Affolé, le cheval voulut se libérer, mais il se trouvait en présence d'un cavalier de tout premier ordre, pour qui le domptage des broncos n'était qu'un jeu... Insouciant de la résistance exaspérée de la bête, Catamount parvint à se maintenir en selle.

Dès lors, le ranger se sentit emporté dans un tourbillon éperdu ; dix fois, l'animal voulut se défaire du cavalier intempestif qui venait de le rattraper en pleine nuit, dix fois, l'homme lui imposa sa volonté implacable !...

Peu à peu, Catamount sentit que sa monture cédait...

— Soyons calme, vieux camarade !...

Le ranger était heureux de la victoire qu'il venait de remporter ; maintenant qu'il se retrouvait en selle et en possession de ses armes, il se sentait assuré de vaincre. Après la période de dépit et d'exaspération qu'il venait de connaître, il demeurait plus que jamais décidé à poursuivre l'action jusqu'au bout, c'est-à-dire jusqu'au moment où Pierrot serait à l'abri de tout danger et de toute menace.

Pour l'instant, il importait avant tout de repérer l'endroit où l'inquiétant Tom Cannon avait emmené son jeune prisonnier. La sauvegarde de l'enfant primait tout le reste...

Catamount fronça les sourcils quand il pensa à Marie-Claire... Que devait s'imaginer l'infortunée qu'il avait laissée naguère à l'hôtel Lincoln de Boise ?... Selon toute évidence, elle devait connaître des heures atroces, ébauchant les pires hypothèses au sujet de son Pierrot.

« Impossible de revenir à Boise, se dit l'homme aux yeux clairs, ce serait perdre un temps précieux et risquer de compromettre la sauvegarde de l'enfant.

Plus que jamais, Catamount se promettait tout d'abord de retrouver le prétendu Tom Cannon et d'exiger de ce déconcertant compagnon toutes les précisions nécessaires. Après, il s'occuperait de Moralès et de ses deux acolytes... Les trois compères ne perdraient certainement rien pour attendre.

Un mouvement soudain de son cheval arracha brusquement le cavalier à ses absorbantes pensées.

— *Hello, old fellow !...* Pas si vite !...

D'une main ferme, le ranger retint sa monture d'occasion ; il comprit bien vite les raisons de sa subite réticence. De nouveaux hurlements trahissaient la présence des loups dans le voisinage immédiat...

— Cette fois, ils ne nous auront pas !... murmura sourdement le ranger en lançant sa monture à fond de train sur sa droite.

Eperdue, la poursuite s'engagea à travers la nuit maintenant déclinante. Consciente du danger, affolée par les carnassiers qui se lançaient maintenant à ses trousses, la bête filait avec une déconcertante rapidité le long des pentes couvertes de neige.

A plusieurs reprises, Catamount se retourna en plein galop sur sa selle ; les loups semblaient gagner quelque peu sur lui ; la masse confuse de leur groupe s'apercevait vaguement en arrière, sur la neige.

— Encore un effort !... Ils ne nous auront pas !...

Le cheval filait toujours avec la rapidité d'une flèche ; c'était à peine si ses sabots semblaient effleurer la surface de la neige sans cesse balayée par le vent.

La rapidité de l'animal, l'inlassable persévérance dont faisait preuve son cavalier de rencontre, l'emportèrent enfin sur la voracité des loups. Le jour commençait à poindre dans le ciel gris et maussade, et il ne restait plus qu'une douzaine de carnassiers qui s'acharnaient

encore à la poursuite... Et, bientôt même, exténués, les
derniers se lassèrent à leur tour. Plus décidé que jamais,
Catamount venait de triompher d'une nouvelle et dra-
matique épreuve... Plus que jamais, il se sentait décidé
à prendre sa revanche.

CHAPITRE XII

— Où aller, maintenant ?

Une fois libéré du danger d'être rejoint par les loups, Catamount s'efforçait de faire le point d'une situation qui s'affirmait quelque peu embrouillée.

Le cheval, fatigué par la course éperdue qu'il avait dû prolonger afin d'échapper aux loups, avait ralenti sensiblement son allure ; de quelque côté que le ranger se tournât, c'était toujours la solitude blanche. Des vols de corbeaux passaient dans le ciel gris et, depuis que le vent avait cessé de souffler, leurs croassements se faisaient entendre par intermittences...

Une telle ambiance n'était certes pas de nature à inciter à l'optimisme ; par bonheur, Catamount n'était point de ceux qui se laissent aisément gagner par le doute et par le découragement.

Pendant un moment, l'homme aux yeux clairs arrêta sa monture, qui était entourée maintenant par un véritable nuage de transpiration ; les incidents qui venaient de se succéder lui revenaient à l'esprit ; il s'efforçait donc d'envisager la situation avec sang-froid.

Les événements s'étaient précipités depuis que le ranger avait quitté Boise ; grâce aux santons, il avait pu retrouver Pierrot, dont les gardiens avaient été, pendant quelques heures, à sa complète merci ; malheureusement, l'étrange attitude du prétendu Tom Cannon avait

placé Catamount dans une situation décevante. Que
pouvait-il faire maintenant pour remonter le courant ?

« Pas d'erreur ! se dit enfin l'homme aux yeux clairs.
Il importe avant tout que je retrouve le gosse et que je
contraigne Cannon à me préciser quelle sorte de rôle
il est actuellement en train de jouer !... »

Catamount n'oubliait pas non plus Marie-Claire ; il
avait hâte, aussi, de rassurer l'infortunée qui attendait,
dans les transes, son retour d'expédition. Il lui en coûtait terriblement de ne pouvoir atténuer ses angoisses,
mais il ne pouvait envisager tout retour à Boise jusqu'à
nouvel ardre.

Avant tout, il importait donc de gagner du temps et
de retrouver, coûte que coûte, la piste du déconcertant
cowpuncher...

La neige tombée en abondance pendant toute une partie de la nuit avait effacé toutes les pistes ; de plus, une
brume opaque rétrécissait malencontreusement le
champ de vision du ranger.

En dépit d'une ambiance qui s'affirmait aussi défavorable que maussade, Catamount se préparait à agir.
Pour l'instant, négligeant Moralès et ses acolytes, il
allait tenter de retrouver Pierrot et de contraindre son
décevant compagnon à lui dire toute la vérité.

Les quelques propos qu'avait pu surprendre l'homme
aux yeux clairs lui permettaient de se faire une idée
d'ensemble de la situation... Deux gangs dangereux
opéraient dans la région, l'un dirigé par Moralès, l'autre
obéissant aux ordres du très dangereux Stillson.

Si Catamount était venu plus tôt dans l'Etat d'Idaho,
où seules l'avaient retenu des circonstances atmosphériques tout à fait exceptionnelles, il eût pu recueillir
des précisions, en particulier auprès du shérif de Boise,
Tim Melcart.

Désormais, une telle enquête ne s'imposait plus ; le
ranger désirait avant tout prendre sa revanche et secourir son jeune ami dans le plus bref délai possible... Et

5

la seule pensée que Pierrot eût besoin de lui l'emportait sur toute autre considération.

Tout d'abord, une question se posait : où se situait le repaire de Stillson, dont Moralès avait affirmé que le prétendu Tom Cannon était l'auxiliaire le plus précieux ?

Selon toute évidence, Stillson et ses acolytes avaient dû élire refuge quelque part dans la montagne. Mais la montagne était vaste et Catamount ne connaissait que fort peu cette région, si différente de celles qu'il avait coutume de parcourir au Texas, le long de la frontière limitée par le cours du Rio Grande del Norte !

Soudain, le cavalier esquissa un brusque écart, qui arracha son cavalier à ses absorbantes pensées.

— Attention ! protesta aussitôt le ranger. Tu vas trop vite, vieux camarade !

Catamount retint son coursier d'une main ferme, mais la bête, les oreilles toutes droites, demeurait sur le qui-vive. Il semblait qu'elle appréhendât quelque danger immédiat.

L'homme aux yeux clairs comprit aussitôt les raisons qui faisaient hésiter sa monture. A peu de distance, des hurlements lugubres retentissaient, et le vent apportait une senteur forte que le cavalier n'avait pas de peine à identifier tout de suite.

— Les loups... murmura-t-il sourdement, tout en continuant d'apaiser le cheval, qui se montrait plus réticent que jamais.

La brume interdisait de discerner encore les carnassiers, mais Catamount se rendait compte qu'ils devaient être à moins de cinq cents pas sur sa gauche. Il allait obliquer sur la droite quand, tout à coup, il tressaillit. Un appel désespéré se faisait entendre dans le brouillard !

Cette fois, le ranger n'hésita plus ; en dépit de la résistance éperdue de son cheval, il le contraignit à se rapprocher du secteur dangereux.

— *Help !*... Au secours !... insista la voix.

L'homme aux yeux clairs se dressa sur ses étriers :

— Courage !... cria-t-il de toutes ses forces. J'arrive !

Sans plus attendre, il se laissa glisser à bas de sa selle ; puis, s'emparant d'un de ses colts, il s'aventura courageusement dans la direction d'où les appels étaient partis.

Le ranger s'imaginait bien que sa décision pouvait être, pour lui, lourde de conséquences ; déjà, le cheval, libéré de son nouveau maître, esquissait un mouvement de retraite. Il s'empressa donc de le rappeler à l'ordre :

— Minute, camarade !... J'aurai grand besoin de toi tout à l'heure !...

Quelques instants plus tard, Catamount prenait la précaution d'attacher l'animal à un sapin.

— Un peu de patience, lui conseilla-t-il. Je ne tarderai pas à revenir.

Il passa une main caressante sur le pelage encore tout humide de sueur, puis, délibérément, il se hasarda.

Les appels se faisaient toujours entendre par intermittences ; ils semblaient de plus en plus rapprochés. Et l'odeur forte imprégnait de plus en plus l'atmosphère.

Des grondements sourds retentirent... Les loups étaient là, au nombre d'une trentaine ; leurs formes sombres se discernaient vaguement dans la brume... Groupés auprès d'un vieux chêne, ils multipliaient les sauts pour essayer d'atteindre une forme confuse qui s'immobilisait dans les hautes branches de l'arbre.

— Courage ! cria aussitôt le ranger. Et, surtout, ne lâchez pas !... Restez cramponné !...

Un tel conseil s'avérait inutile : l'homme, que les carnassiers entouraient de toutes parts, s'efforçait désespérément de rester hors de portée de ses féroces agresseurs.

Les loups s'attardaient, en dépit de leurs efforts jusqu'ici infructueux ; ils attendaient encore, leurs regards fauves convergeaient vers le malheureux qui s'accrochait anxieusement aux branches du vieux chêne.

Jusqu'ici, l'homme traqué ne caressait qu'un faible

espoir d'échapper à la mort. Après les efforts qu'il n'avait cessé de multiplier pour se tenir hors de portée des crocs redoutables de ses poursuivants, il sentait s'amenuiser dangereusement ses forces. Jusqu'ici, une énergie surhumaine lui avait permis d'échapper aux atteintes de la harde affamée et famélique ; il commençait à perdre tout espoir quand la voix rude de Catamount répondit à ses appels.

Cette fois, l'homme traqué reprit courage. Furieusement, les loups exécutèrent de nouveaux bonds ; certains s'accrochaient à l'écorce rugueuse du vieil arbre, mais l'infortné les repoussait à grands coups de crosse de sa carabine.

Enfin, plusieurs détonations troublèrent le silence ; trois des loups, atteints par les balles du ranger, qui s'élançait délibérément à l'attaque, s'écroulèrent sur la neige, qu'ils teignirent aussitôt de leur sang.

— Tenez bon !... enjoignit encore le nouveau venu.

Deux loups s'écroulèrent encore ; l'intervention du dangereux tireur provoquait d'abord chez eux la surprise... Ils s'écartèrent en grondant, permettant ainsi à Catamount d'atteindre l'arbre où l'autre attendait toujours, encouragé par un soudain espoir.

— Vite !... Dépêchez-vous !... cria alors le ranger.

Les carnassiers s'étaient repliés et, comme l'inconnu hésitait encore, l'homme aux yeux clairs insista :

— Laissez-vous glisser jusqu'à moi !

— Mais ils vont attaquer ! objecta l'inconnu, hésitant à abandonner son perchoir.

— Laissez-vous glisser !... répéta Catamount... Il faut à tout prix bénéficier de la surprise ; dans quelques minutes, il sera trop tard !...

Le ranger avait prononcé ces mots d'un ton si incisif que l'inconnu n'hésita plus ; comme le nouveau venu lui tendait une main secourable, il s'en fut jusqu'à lui.

— Et maintenant, suivez-moi ! enjoignit l'homme aux yeux clairs à son protégé. La moindre hésitation nous perdrait.

Enjambant le corps d'un des carnassiers qu'il venait d'abattre, Catamount entraînait son compagnon sur la piste qu'il avait laissée derrière lui pour se porter à la rescousse. Et, tandis que l'autre obéissait, surmontant l'engourdissement qui s'emparait encore de ses membres, le ranger s'empressait de recharger ses deux colts.

En moins de trois minutes, battant précipitamment en retraite, ils rejoignirent l'endroit où Catamount avait laissé son cheval attaché.

L'animal faisait des efforts désespérés pour se libérer de la longe qui le retenait prisonnier. La senteur forte des loups l'affolait littéralement.

— Allons ! conseilla le ranger, un peu de calme !... Ils ne t'auront pas !...

Deux minutes plus tard, Catamount avait détaché la longe ; puis, après avoir enfourché sa monture, il fit signe à son protégé de s'installer en croupe derrière lui.

Pendant un moment, le cheval fila avec la rapidité d'une flèche ; le ranger sentait son compagnon qui s'accrochait à lui... Le cœur battant, l'infortuné hasardait fréquemment un coup d'œil en arrière. Catamount, devinant ses préoccupations, s'empressa de lui crier :

— Pas de danger que ces sales bêtes nous rejoignent pour l'instant ; ils sont occupés à dévorer les cadavres de leurs congénères que je viens d'abattre !...

Et, comme son compagnon acquiesçait d'un signe de tête, l'homme aux yeux clairs d'ajouter :

— Cela nous accorde environ un quart d'heure de répit... Un quart d'heure pour nous mettre hors d'atteinte, c'est évidemment assez maigre, d'autant plus que je ne connais pas la région !...

Mais l'autre de répondre sans plus attendre :

— La région, moi, je la connais !...

— Dans ces conditions, repartit le ranger, je me fie à votre expérience.

Talonnant vigoureusement les flancs de sa monture, Catamount surenchérit :

— Le cheval donne des signes de fatigue... C'est assez compréhensible, avec sa double charge... C'est pourquoi, si vous connaissez un refuge...

Le rescapé empêcha son sauveteur d'achever sa phrase :

— Un refuge ? s'exclama-t-il d'une voix que l'émotion faisait trembler. A moins de cinq cents pas sur notre droite, il y a la cache du vieux Charlie !

— La cache du vieux Charlie ?

— Oui. C'est l'endroit où un vieux trappeur, qui est mort l'an dernier, avait élu refuge... Maintenant, la cache sert à tout le monde. Le mois dernier, j'y suis resté enfermé plus de dix jours pendant que soufflait le *blizzard* !... On y est bien, mais un peu à l'étroit tout de même !

— Eh bien ! allons à la cache du vieux Charlie !

Tout en se référant aux indications que lui fournissait son protégé imprévu, Catamount fit obliquer sa monture vers la droite... Cinq minutes durant, ils poursuivirent la chevauchée sans échanger un seul mot.

Enfin, le ranger sentit que l'autre lui posait la main sur l'épaule.

— C'est là !... précisa le rescapé en désignant une minuscule maison que recouvrait l'épais linceul immaculé de la neige...

Sans plus attendre, l'inconnu mettait lestement pied à terre.

— Permettez que je vous précède... proposa-t-il au cavalier qui venait d'arrêter sa monture.

— Je vous en prie !...

Catamount sauta à son tour à bas de sa selle ; tout en prenant le cheval par la bride, il emboîta le pas à son protégé. Et, à une vingtaine de mètres plus loin, ils s'arrêtèrent.

L'homme aux yeux clairs put alors se rendre compte que son compagnon connaissait admirablement le terrain. Il le vit qui commençait à fouiller dans la neige. Quelques instants plus tard, le rescapé dégageait une sorte d'orifice assez large pour laisser passer un homme.

— Voulez-vous m'aider ? demanda-t-il.

— Volontiers !

Ensemble, ils réussirent à se frayer passage. Tout auprès, le cheval manifestait une inquiétude de plus en plus grande, et Catamount ne put retenir une exclamation.

— Que se passe-t-il ? demanda l'autre, intrigué.

Le ranger désigna sa monture et, aussitôt, le rescapé fit la grimace.

— Impossible de le caser là ! objecta-t-il.

— Si je l'attache, opina Catamount, je le condamne à une mort certaine, car les loups ne tarderont pas à l'éventer et auront facilement raison de lui !...

— Dans ces conditions, mieux vaut le laisser en liberté !

Ils abandonnèrent donc la bête, non sans que le ranger eût pris au préalable la précaution d'enlever les quelques objets et les quelques vivres qu'il conservait encore dans la sacoche.

— Et maintenant, déclara l'inconnu, mettons-nous à l'abri... S'il n'est pas confortable, nous y serons toujours mieux que je n'étais récemment sur la branche !

Déjà, le rescapé se faufilait à travers l'orifice étroit qui servait d'entrée au refuge. Avant de le rejoindre, Catamount adressa un dernier coup d'œil au cheval qui s'éloignait maintenant, peu soucieux d'être rejoint et attaqué par les loups.

— Vite !... Refermez !... conseilla l'inconnu...

Le ranger attira derrière lui la lourde planche qui tenait lieu de porte. Une forte odeur de cuir empestait l'étroite retraite. Mais il y faisait beaucoup plus chaud qu'au dehors.

— Evidemment, convint l'autre, on est plutôt à l'étroit, mais quand le vent souffle et que les loups rôdent dans le voisinage immédiat, c'est un refuge que l'on peut apprécier et dont l'existence a sauvé la vie de beaucoup de braves gens !...

Tout en parlant ainsi, l'homme tâtonnait dans le noir ; une exclamation satisfaite lui échappa quand il sentit sous ses doigts raidis une lampe-tempête.

— Auriez-vous un peu de feu ? demanda-t-il à Catamount.

L'homme aux yeux clairs avait toujours son briquet sur lui ; aussi les deux compagnons, unissant leurs efforts, réussirent-ils à allumer.

— Et maintenant, s'exclama le rescapé, les loups et le *blizzard* peuvent venir !... Nous n'aurons plus rien à craindre !

Le ranger ne répondit pas ; ses regards s'attardaient maintenant sur celui qu'il venait de sauver d'une mort certaine. Jusqu'ici, le col relevé de la *parka* de son compagnon et le bonnet en peau de castor rabattu sur le front ne lui avaient pas permis de distinguer ses traits.

Maintenant, Catamount pouvait se rendre compte que son compagnon de hasard était plus âgé que lui ; il avait certainement dépassé la cinquantaine ; une barbe de plusieurs jours rendait son visage plus rude et plus farouche ; le teint était si basané qu'il faisait penser à celui d'un Indien. Sous la *parka* en peau d'ours que le rescapé avait ouvert et débarrassé de la neige qui la recouvrait encore, il apercevait le costume en peau de daim semblable à ceux que portent les trappeurs.

Le rescapé interrompit l'examen auquel se livrait son sauveur.

— Il est temps de faire les présentations, déclara-t-il. Je m'appelle Omer Brennon !...

Puis, tendant sa main ouverte :

— Vous avez sauvé la vie d'Omer Brennon, il saura vous prouver que vous n'avez pas obligé un ingrat !

Catamount répondit aussitôt au geste de son compagnon ; ils échangèrent aussitôt un vigoureux *shakehand*. Et Brennon d'interroger :

— Et vous ? Quel est votre nom ?

Le ranger se garda bien de décliner sa véritable identité :

— Bill Lern !... répondit-il simplement. Je m'appelle Bill Lern !...

— Eh bien ! Bill Lern, vous pouvez être sûr que vous avez désormais en moi un ami. Si jamais vous avez besoin de moi...

Catamount remercia d'un sourire ; maintenant, c'était au tour de son protégé à le considérer avec insistance.

Omer Brennon parut satisfait de cette inspection.

— En vérité, opina-t-il, vous avez l'air d'un gaillard qui n'a pas froid aux yeux !... Vous l'avez d'ailleurs su prouver courageusement tout à l'heure...

Le ranger esquissa un geste désinvolte :

— Je vous en prie !... C'est déjà de l'histoire ancienne !...

Mais le rescapé manifestait toujours une vive curiosité à l'égard de son sauveur :

— Vous êtes étranger... Qu'êtes-vous venu faire dans nos parages ?

Catamount ne parut pas embarrassé ; il se rappelait le prétexte utilisé naguère par le prétendu Tom Cannon.

— Je cherche un *job*, déclara-t-il simplement.

Une telle réponse parut interloquer Omer Brennon :

— Un *job* dans les Rockies, dans ce failli chien de pays !... Vous avez dû sûrement vous tromper d'adresse.

Puis, baissant le ton, le rescapé s'empressa de surenchérir :

— Evidemment, j'aurais mauvaise grâce à m'en plaindre ! Si vous n'étiez venu dans ces parages, les loups se seraient déjà régalés de ma vieille carcasse !

Mais ils se sentaient si accablés l'un et l'autre qu'ils interrompirent leur entretien. Chaudement recouverts, pendant que la bise hurlait au dehors, ils s'endormirent, soucieux de prendre enfin un repos bien gagné.

CHAPITRE XIII

LA BANDE A STILLSON

— Et maman ?... Dis-moi où elle m'attend, puisque tu le sais !...

Pour la cinquième fois au moins, Pierrot posait cette question à Tom Cannon, et ce dernier de répondre, avec un sourire rempli de complaisance :

— Ta maman, tu vas la retrouver bientôt !... Tu n'as rien à craindre, puisque je te l'ai promis !...

— ·Pourtant, je voudrais bien savoir... insista l'enfant, qui commençait à s'impatienter.

— Tu sauras, mais, auparavant, il importe de conserver tout son sang-froid.

L'enfant s'inquiétait. Certes, il avait confiance en son compagnon qui était sorti avec lui, quelques minutes auparavant, de la cabane où le petit groupe avait cherché refuge.

Depuis, tout s'était passé de façon plutôt déconcertante et insolite ; au moment même où Pierrot se disposait à réintégrer le refuge, Tom Cannon était allé chercher son cheval, qui attendait dans le voisinage immédiat.

Tout d'abord, l'enfant n'avait pu dominer sa surprise :

— Tu pars ? avait-il demandé.

Le *cowpuncher* avait aussitôt rectifié :

— Nous partons !

— Comment ?... protesta le petit. Tu voudrais que moi aussi...

— C'est absolument indispensable !...

Pierrot fit la grimace ; il ne lui souriait que fort peu. en effet, d'abandonner la cabane qui, si croulante et si délabrée qu'elle fût, lui offrait néanmoins un abri contre les attaques du vent glacé, qui ne cessaient de se succéder depuis des heures.

Mais Tom Cannon, conscient des appréhensions qui tourmentaient son jeune compagnon, insinua bientôt :

— Allons ! Aurais-tu peur maintenant ? Moi qui te croyais si brave !

L'enfant se redressa, piqué au vif :

— Je n'ai pas peur ! protesta-t-il avec force. S'il le faut, je saurais le prouver !...

— Dans ces conditions, fit le *cowpuncher*, tu vas avoir l'occasion de te distinguer !...

Puis, pour mieux dissiper les soupçons de Pierrot, Tom Cannon ne pencha vers lui :

— Suis-moi, proposa-t-il. Je vais te conduire vers ta maman !...

— Vers maman ?...

Pierrot avait déjà les larmes aux yeux. Combien il lui tardait de se retrouver dans les bras de l'infortunée Marie-Claire ! Avec quelle impatience il attendait ce moment, après tant de tribulations, d'incertitudes, et d'inquiétudes !...

— Où se trouve-t-elle exactement ? insista-t-il après quelques secondes d'hésitation.

— Tu n'as qu'à me suivre et je te conduirai droit vers elle !...

L'enfant se résigna. En faisant appel à son amour-propre et à l'amour filial qu'il éprouvait pour sa maman, Tom Cannon avait réussi à le convaincre et à lui inspirer de nouveau confiance, en dépit de sa déconcertante inquiétude.

Pourtant, il esquissait un pas vers la cabane.

— Où vas-tu ? interrogea aussitôt le cowpuncher en le retenant par la manche.

— Dire au revoir à notre ami, repartit Pierrot, en faisant allusion à Catamount.

— Inutile, coupa Tom Cannon. Il est au courant...

Devançant ensuite d'autres questions qui pouvaient devenir gênantes, le *cowpuncher* murmura :

— Faisons vite ! Plus nous nous attardons à bavarder, moins nous aurons de chance de revoir ta maman ! Il faut agir maintenant que nous possédons tous les atouts dans notre jeu !...

Tout en prononçant ces mots, Tom Cannon enfourchait son cheval.

— Approche-toi, ajouta-t-il. Je vais te hisser en croupe derrière moi !...

Docile, l'enfant obéit et, quelques secondes plus tard, il s'agrippait solidement aux épaules de son compagnon.

— Et, surtout, conseilla le cavalier, ne me lâche pas !

Dès lors, Pierrot ne s'inquiéta plus ; il s'abandonnait désormais à celui qui lui avait fait de si belles promesses.

Tom Cannon dut bientôt retenir son cheval, trop fringant. Avant d'aborder une nouvelle chevauchée, il désirait prendre toutes les précautions nécessaires pour éviter d'être suivi et rejoint. Il fit donc s'éloigner les chevaux de ses compagnons, qui attendaient dans le voisinage immédiat du refuge.

— Qu'est-ce que tu fais là ? ne put s'empêcher alors d'interroger l'enfant.

— Il faut éviter que les chevaux nous suivent. Notre ami en aura besoin pour revenir à Boise !...

— Ah ! Il va revenir à Boise ?...

— Il faut bien qu'il remette ses prisonniers au shérif.

Le cowpuncher employait là des arguments qui achevèrent de convaincre son jeune compagnon. Et Pierrot se laissa emmener à travers la nuit glacée, sans soupçonner la duplicité du prétendu Tom Cannon.

Frileusement, l'enfant avait relevé son col ; la bise coupante ne cessait plus de lui fustiger le visage. Et des hurlements répétés le firent bientôt tressaillir.

— Les loups !... murmura-t-il, envahi de nouveau par la crainte.

— Sois sans crainte ! Si les loups s'avisaient de nous attaquer, j'aurais là de quoi leur répondre !...

En s'exprimant de la sorte, le cavalier caressait de la main la crosse du colt qui émergeait de son étui.

Tom Cannon semblait admirablement connaître la région ; il continuait d'encourager son cheval ; néanmoins, de quelque côté qu'il regardât, Pierrot ne discernait pas le moindre feu qui pût faire déceler une autre présence dans le voisinage immédiat.

L'enfant croyait toujours vivre un rêve étrange. Tout s'était déroulé avec une telle cadence précipitée qu'il avait peine à rassembler tous ses souvenirs. Bien des choses lui semblaient inexplicables !...

Marie-Claire... Moralès... L'homme à la canadienne... Le borgne et le boiteux... Le *cowpuncher*... Il évoquait tout cela, donnant libre-cours à son imagination débridée... Et, dans son impuissance à comprendre, il se résignait à suivre celui qui s'était comporté avec lui, jusqu'ici, comme un ami.

A la vérité, Pierrot eût de beaucoup préféré se trouver seul avec l'homme aux yeux clairs, qui lui inspirait une confiance illimitée ; toutefois, il se rassurait en pensant que Tom Cannon était un ami de son courageux protecteur et qu'ils devaient agir en parfait accord.

Non sans regret, l'enfant pensait aux santons. Cette fois, il n'avait plus avec lui les personnages qui eussent pu, comme naguère, entraîner Catamount sur sa piste.

Mais à quoi bon se préoccuper ainsi ?... Son intrépide protecteur était certainement au courant de ce départ nocturne. Il savait à quoi s'en tenir. Il s'agissait donc de se montrer, à la fois, patient et docile. D'ailleurs, la perspective de retrouver sa mère d'un instant à l'autre l'emportait désormais, chez Pierrot, sur toute autre considération !...

Ce fut une chevauchée sans histoire. Certes, l'enfant tressaillait parfois, quand il entendait les hurlements des loups, qui rôdaient toujours à peu de distance, mais il commençait à s'habituer à ce lugubre et impressionnant concert. De temps en temps, Tom Cannon lui adressait quelques paroles d'encouragement.

Cependant, au bout d'un moment, Pierrot ne put s'empêcher de hasarder :

— Arriverons-nous bientôt ?...

— Un peu de patience, répondit le *cowpuncher*. Nous y serons certainement dans une heure !...

— C'est bien long !...

Pierrot ponctua ces derniers mots d'un soupir de résignation ; il se sentait accablé de lassitude, à mesure que se prolongeait une chevauchée qu'il estimait interminable. Mais, comme la perspective de retrouver sa maman se présentait constamment à son esprit enfiévré, il prenait son mal en patience.

Une heure s'écoula encore ; l'infortuné commençait à désespérer quand il entendit la voix rude de son compagnon qui lui annonçait :

— Courage !... Nous y voilà !...

Sans cesser de se cramponner aux épaules du cavalier, Pierrot regarda avec insistance de part et d'autre de la piste neigeuse que le cavalier avait empruntée.

— Je ne vois rien, objecta-t-il, déçu.

— Qu'importe ! repartit Tom Cannon. Tu as confiance en moi, j'imagine ?

— J'ai confiance, certes, convint Pierrot, mais je voudrais bien retrouver maman !... Elle doit être si inquiète à mon sujet !...

Cette fois, le *cowpuncher* ne répondit pas. Si cuirassé qu'il fût contre les scrupules, il ne pouvait se défendre d'un sentiment de honte.

Car Pierrot ne soupçonnait pas une seconde que celui qu'il considérait, jusqu'ici, comme un protecteur et comme un ami, se disposait à le remettre à la discrétion d'un bandit dont il était le plus agissant acolyte. En empruntant l'identité d'un paisible *cowpuncher* en quête d'un *job*, Bill Patterson avait accompli la mission que lui avait confiée Stillson, son chef : celle d'enlever et de ramener le fils de Moralès !

Depuis des mois, le *gang* de Moralès et celui de Stillson se livraient une guerre acharnée. Ils s'affrontaient implacablement, avec des alternatives de succès et de revers...

Pour l'instant, Stillson et ses acolytes semblaient sur le point de s'assurer une nouvelle manche. Grâce à leur service d'espionnage remarquablement organisé, ils avaient appris que Moralès avait fait enlever son fils à seule fin d'assurer désormais son éducation et de faire de lui un « homme », dans toute l'acception du mot.

Dès lors, l'araignée avait tissé patiemment sa trame. Bill Patterson s'était chargé de la mission particulièrement délicate de manœuvrer et de déjouer la surveillance de Moralès et de ses acolytes.

Bill Patterson était donc monté dans le train en cours de route et, s'il avait identifié sans peine Ned et Schutz, les deux compères envoyés par Moralès pour opérer le rapt de Pierrot, le boiteux et le borgne ne s'étaient pas doutés un seul instant que le prétendu *cowpuncher* en quête d'un *job* ne fût autre que le propre lieutenant de Stillson, le concurrent et l'adversaire irréconciliable du dangereux aventurier.

Maintenant, Bill Patterson se sentait sur le point d'obtenir enfin la récompense de sa persévérance.

La voix de l'enfant vint arracher le rude jouteur à ses pensées.

— Je ne vois toujours aucune lumière !...

Le cavalier tressaillit et s'efforça de rassurer son jeune compagnon.

— Un peu de patience, conseilla-t-il.

Puis, étendant le bras vers sa droite :

— Tu vois ce bois de sapins ? poursuivit-il en désignant une tache sombre qui se détachait vaguement sur la neige.

Pierrot secoua affirmativement la tête :

— Je vois,. répondit-il simplement.

— Eh bien ! continua d'expliquer le faux *cowpuncher*, nous allons le contourner... Et, à moins d'un mille...

L'enfant ne laissa pas l'autre achever sa phrase :

— Alors, je reverrai maman ? coupa-t-il, plus impatient que jamais.

— Tu reverras ta maman ! assura Bill Patterson.

Gêné de tromper ainsi un enfant, le cavalier aiguilla la conversation sur un sujet moins délicat. Puis, d'un claquement de langue, il fit accélérer l'allure de son coursier, qui commençait à son tour à manifester quelque lassitude.

Ils achevaient de longer le petit bois, quand ils aperçurent une lumière entre les arbres.

— Quand je te disais... fit simplement Bill Patterson.

Pierrot se redressa, en dépit de la raideur de ses membres et des multiples courbatures qui l'exténuaient. Il sentait ses appréhensions renaître...

Une cabane était là. Le refuge présentait, certes, meilleure apparence que la masure à demi écroulée où l'enfant avait passé quelques heures qu'il ne devait plus oublier de toute son existence.

Le cavalier fit alors arrêter sa monture ; portant ensuite un doigt à ses lèvres, il imita à s'y méprendre le cri du hibou.

Un signal identique répondit aussitôt dans le voisinage immédiat. La porte de la cabane s'ouvrit, livrant passage à un homme de taille moyenne, qui relevait frileusement son col.

En quelques instants, le cavalier, qui venait de mettre pied à terre et de soulever l'enfant pour l'aider à sauter à bas de son cheval, s'empressa de rejoindre l'inconnu.

— Le chef est là ? interrogea-t-il aussitôt.

— Il était là à la tombée de la nuit et commençait à s'impatienter...

— Il n'avait qu'à prendre ma place ! riposta sans aménité aucune le nouveau venu. En tout cas, je ramène le gosse.

Il ajouta ensuite d'une voix sourde :

— Triste corvée que celle-là !... Ça n'est pas très reluisant de mentir à un gosse qui met en vous toute sa confiance !...

Bill Patterson avait prononcé ces derniers mots assez bas pour que Pierrot ne pût entendre.

Mais l'enfant manifestait de nouveau quelque impatience :

— Maman m'attend là ? hasarda-t-il en désignant le refuge tout proche.

Le faux *cowpuncher* s'empressa de le rejoindre et de lui prendre la main.

— Occupe-toi de mon cheval, Shorty !... lança-t-il à l'homme qui s'était ainsi porté à sa rencontre.

L'interpellé s'empressa d'obéir. Pierrot hâta le pas, anxieux de retrouver sa mère au plus vite.

Toutefois, dès qu'il eut franchi le seuil de la cabane, l'enfant s'arrêta, hésitant. Une odeur de fumée le prenait à la gorge. Il fallut que Bill Patterson le poussât pour qu'il entrât.

Tandis que son compagnon refermait bruyamment la porte derrière lui, Pierrot attardait des regards inquiets au fond de la pièce. Des hommes étaient là, qui se chauffaient auprès de la cheminée où brûlait un bon feu.

Tout d'abord, Pierrot se sentit agréablement surpris par la chaleur qui régnait dans le refuge. Il hésitait encore, quand un des hommes qui se chauffaient auprès de l'âtre se leva de l'escabeau qu'il occupait, puis, s'adressant au jeune visiteur :

— Alors, comme ça, interrogea-t-il, tu es le fils de cette vieille canaille de Moralès ?

L'enfant s'immobilisa, interdit. Il ne semblait pas

avoir entendu ; avant toutes choses, il cherchait sa
mère. Seuls, les deux hommes qu'il avait remarqués
tout d'abord se trouvaient actuellement dans la retraite
avec leur chef, celui-là même qui s'était adressé au nouveau venu.

— Maman ? demanda alors Pierrot. Où est maman ?

L'infortuné se sentait sur le point d'éclater en sanglots, tant s'affirmait cuisante sa déception. Et sa surprise se mua en une véritable rage quand il entendit les
gros rires des deux autres, qui se montraient ravis de sa
désillusion.

D'un geste brusque, le chef imposa silence à ses acolytes.

— Pas un mot, vous autres ! enjoignit-il. Pat !...
Nick !... *Shut up !...*

Les deux interpellés s'empressèrent d'obéir. A la
brusque altération de leurs traits, l'enfant put se rendre
compte que l'individu qui l'intriguait savait se faire
obéir.

Affectant de sourire, le chef se tournait vers Pierrot ;
il s'efforçait de se montrer affable, mais l'infortuné
n'était pas dupe... Dès le premier abord, Stillson lui
inspirait une insurmontable méfiance. De taille
moyenne, le visage basané, les yeux fendus en amande,
l'aventurier faisait penser à un Chinois ; une fine moustache ombrait sa lèvre.

Pierrot évita de répondre ; dédaignant Stillson, il se
tourna vers le faux *cowpuncher* :

— Tu m'as promis que je retrouverai maman !...
reprocha-t-il. Pourquoi n'est-elle pas ici ?... Tu m'as
trompé !...

Le prétendu Tom Cannon esquissa un geste vague ;
en dépit de son calme, il se sentait fâcheusement
impressionné par la question que lui posait son jeune
compagnon, qui attardait sur lui un regard rempli de
reproches.

Bill Patterson recherchait une explication valable
pour se justifier, quand Stillson le devança :

— Ta maman n'est pas loin, affirma-t-il à Pierrot d'un ton doucereux. Tu la retrouveras certainement sans tarder...

Mais le charme était rompu. Aux regards et aux attitudes équivoques des trois hommes et de leur chef, Pierrot comprenait qu'on avait abusé de sa trop confiante crédulité.

— Pourquoi m'as-tu menti ?... reprocha-t-il encore au faux *cowpuncher*.

Les larmes perlaient maintenant entre les paupières du malheureux. Immobile, Bill Patterson attendait, toujours très pâle, tête basse, évitant de soutenir le regard rempli de réprobation de l'enfant.

La voix rude de Stillson rompit le silence qui s'appesantissait depuis quelques instants.

— Tu dois être fatigué, *my boy*, proposa le chef. On va te donner des couvertures et tu dormiras dans le réduit.

Tout en prononçant ces mots, Stillson désignait une sorte de débarras en appentis, qui communiquait avec le refuge.

— Auparavant, surenchérit-il, tu feras bien de manger et de boire un peu !...

Et, s'adressant à l'un de ses acolytes :

— Vite, Pat !... Verse-lui une tasse de café !... Ça le réchauffera... Il en a grand besoin !...

Pierrot accepta ; quelques instants plus tard, il buvait à petites gorgées, savourant le bienfaisant liquide. Une agréable chaleur parcourait maintenant tout son corps.

— C'est bon, n'est-ce pas ?

Stillson s'ingéniait toujours à se montrer plus aimable et à dissiper les appréhensions qui obsédaient son jeune interlocuteur ; mais Pierrot affectait de ne pas entendre. De grosses larmes coulaient maintenant sur ses joues.

— Veux-tu un biscuit ?... De la marmelade ?...

Pierrot accepta. Sa nocturne chevauchée l'avait mis en appétit, en dépit de son profond désarroi. Assis sur

un escabeau, il savourait bientôt le biscuit et la marmelade d'orange.

Pendant que l'infortuné se restaurait ainsi, Stillson et
ses quatre acolytes le regardaient. Bill Patterson, qui
s'était assis à son tour, ne cessait plus de faire longue
mine.

— Eh ! quoi ? ne put se retenir alors de lui demander
son chef, tu en fais, une tête !...

Le faux *cowpuncher* pinça les lèvres. Certes, les scrupules ne l'avaient jamais embarrassé depuis le début
de sa dangereuse carrière, mais, de cette nuit-là, il con-
serverait toujours le souvenir. Abattre un adversaire,
piller une banque, attaquer un convoi, tout cela ne
constituait pour lui que peu de chose !... Dès sa jeunesse, il était cuirassé contre le remords, mais, cette
fois, pour la première fois de sa vie, il avait honte,
honte d'avoir menti à un enfant !

Stillson et ses acolytes burent de leur côté chacun un
verre de café. A plusieurs reprises, Bill Patterson voulut tenter de se rapprocher de Pierrot, mais l'enfant,
boudeur, lui tournait obstinément le dos...

— Voyons, Pierrot, hasarda enfin Patterson, tu m'en
veux encore ?... Tu sais bien que, malgré tout, je
demeure toujours ton ami !

— Je ne veux plus te voir ! riposta aussitôt l'enfant
dans un sanglot. Tu m'as menti !

Puis, se redressant et menaçant son ancien compagnon du doigt, il surenchérit :

— Quand mon ami, l'homme à la canadienne, saura
cela, il te châtiera implacablement !... Et tu iras en
enfer avec le diable !...

Pat, Nick et Shorty éclatèrent de rire à ces paroles
indignées et réprobatrices, mais, sur un froncement de
sourcils de Stillson, ils s'immobilisèrent et se turent
bien vite.

Alors, Pierrot se tourna vers le chef :

— Puisque maman n'est pas là, où se trouve-t-elle ?
interrogea-t-il d'une voix tremblante d'émotion.

— Console-toi, insista Stillson, Bill Patterson n'a pas
cherché à te tromper : il ne s'agit là que d'un simple
retard.

— Bill Patterson ? répéta l'enfant, tout en gratifiant
son ancien compagnon d'un regard réprobateur. Je
croyais qu'il s'appelait Tom Cannon ?

Le chef haussa ironiquement les épaules.

— Tom Cannon est un nom que Patterson a
emprunté pour les besoins de la cause !... Ce n'est d'ailleurs pas la première fois qu'il s'adjuge l'identité d'un
autre, depuis que nous travaillons ensemble !

A mesure qu'il apprenait de nouvelles et édifiantes
révélations, Pierrot sentait grandir son aversion et son
profond mépris envers celui qui avait trahi si indigne-
ment sa confiance.

— Crois-moi, reprit Stillson, ta maman n'a rien à
craindre de notre part et je te donne ma parole que tu
la reverras le plus tôt possible. Nous avons, d'ailleurs,
un vieux compte à régler avec Moralès, ton papa...

— C'est faux ! protesta l'infortuné avec véhémence.
Moralès n'est pas mon papa !...

— Nous avons d'excellentes raisons de croire le contraire ! objecta le chef. Mais tu es encore trop jeune
pour te faire une idée exacte de la situation !...

Désignant le réduit voisin et faisant un signe à Nick,
Stillson lui enjoignit :

— Occupe-toi de faire coucher le gosse !...

A peine son acolyte se fut-il éloigné avec Pierrot que
le chef se tourna vers Bill Patterson qui attendait, silencieux et sombre.

— Et maintenant, nous allons pouvoir causer un
peu ! déclara-t-il simplement.

CHAPITRE XIV

Pendant quelques instants, Stillson se recueillit pour rassembler ses pensées ; auprès de lui, ses acolytes allumaient des cigarettes ; bientôt, Nick s'en revint.

— Eh bien ? interrogea alors Bill Patterson.

— A peine le gosse a-t-il été couché qu'il s'est endormi.

— *O.K. !*... Tu iras jeter un coup d'œil de temps en temps !...

Shorty allait parler à son tour ; Stillson l'arrêta d'un geste.

— Et maintenant, déclara-t-il, trêve de bavardages!... Occupons-nous plutôt des affaires sérieuses !...

Bill Patterson approuva d'un signe de tête et le chef du gang s'empressa de le mettre au courant.

— Pour l'instant, commença-t-il, nous sommes en bonne posture et nous pouvons envisager avec confiance l'opération que nous préparons pour le jour de Noël, à Boise !... Avec de l'audace et du sang-froid, nous pourrons réussir l'affaire. D'ailleurs, à ce sujet, j'ai pu réunir toutes les précisions nécessaires !...

Stillson faisait preuve d'un robuste optimisme en prononçant ces mots ; ses acolytes parurent cependant plus sceptiques :

— Minute ! s'empressa d'objecter Nick. Il faut compter, là encore, avec Moralès !... Le maudit coyote excelle à nous jeter des bâtons dans les jambes !... Cette fois encore...

Nick ne put achever sa phrase ; Stillson intervenait et assurait avec force :

— Pour le moment, nous n'avons rien à craindre de la part de Moralès !... Il saura, s'il ne l'a appris déjà, que nous tenons le gosse en notre pouvoir... et il se tiendra tranquille !...

— Pardon, objecta alors Shorty, c'est là une affirmation toute gratuite. N'oublions pas que, jusqu'ici, Moralès ne s'est pas plus occupé du gosse que s'il n'eût point existé !...

— Nous sommes d'accord, mais j'ai pu apprendre que, depuis quelques jours, le gosse est devenu la préoccupation n° 1 de Moralès !... J'ignore qui a pu faire vibrer ainsi chez lui la fibre paternelle, mais il semble tenir à son fils comme à la prunelle de ses yeux !...

— Première nouvelle, objecta Nick. Jusqu'ici, le gosse était bien le cadet de ses soucis !... Et je ne vois pas pourquoi Moralès s'est brusquement emballé !...

Cette fois, ce fut Bill Patterson qui prit la parole ; depuis le début de la discussion, le faux Tom Cannon était demeuré à l'écart, se contentant de fumer sa cigarette et d'envoyer vers le plafond quelques volutes bleuâtres.

— Je crois comprendre, affirma-t-il, d'après certains détails que j'ai surpris au hasard, que Moralès a décidé de s'occuper sérieusement de l'enfant. Il tient à ce que Pierrot soit, plus tard, aussi redoutable que lui, et c'est pourquoi il s'est décidé à le faire enlever !...

Et Patterson de surenchérir, après s'être arrêté de parler pendant quelques instants :

— Le plus embêtant dans toute cette affaire, c'est que l'autre a trouvé une excellente occasion de mettre le nez dans nos affaires !...

— L'autre ?

Tout d'abord, Stillson rompit le silence qu'il observait depuis que son acolyte avait pris la parole, mais

Patterson reprit, en appuyant sur chacun de ses mots :

— Je veux parler de l'homme qui se trouvait dans le train avec la femme de Moralès et le gosse !...

— Comment ?... Il y avait un homme ?...

Le faux *cowpuncher* s'empressa de relater à son chef dans quelles conditions, après avoir pris le train, il s'était trouvé dans le même wagon que l'homme aux yeux clairs.

— Le boiteux et le borgne sont montés, eux aussi, en cours de route, poursuivit-il ; ils avaient dû recevoir l'ordre d'enlever le petit...

— Possible, opina Stillson, mais peu importe maintenant, puisque le gosse se trouve actuellement à notre merci !... Tout, jusqu'ici, s'est passé sans dommage !... Et je te dois des félicitations !... Dorénavant, Moralès n'aura qu'à bien se tenir !...

Bill Patterson ne semblait décidément pas éprouver la même confiance que son chef et, sans que nul ne s'avisât de l'interrompre, il s'empressa d'ajouter :

— Tout serait pour le mieux si l'autre n'était intervenu. Dès le premier coup d'œil, j'ai compris que nous aurions là un adversaire d'envergure !...

— Pardon, objecta Stillson, nous ne connaissons pas ce gaillard-là ! Dans ces conditions, je ne vois pas quel intérêt il pourrait porter à nos projets et à nos affaires ?

— Il semble nourrir une affection toute particulière pour Pierrot...

— J'entends bien, mais il ne s'agit là que d'un compagnon de rencontre. Il a ses affaires, lui aussi...

En dépit des objections que lui opposait son chef, le faux Tom Cannon semblait toujours obsédé par de sévères appréhensions.

— S'il ne s'agissait là que d'un voyageur de passage, repartit-il, pourquoi, ensuite, s'est-il attardé à Boise ?... Et, surtout, pourquoi s'est-il entretenu avec Tim Melcart, le shérif ? Pourquoi, aussi, le représentant de l'autorité n'a-t-il pas hésité à mettre sa cavalerie à la disposition de cet étranger ?...

Bill Patterson put constater, à ce moment, qu'il venait d'éveiller profondément la curiosité de ses auditeurs.

— Evidemment, maugréa Stillson en hochant la tête, ce n'est là qu'un simple détail, mais vous conviendrez qu'il peut apparaître plutôt troublant !...

— D'autant plus troublant, surenchérit le faux Tom Cannon, que le gaillard en question appartient au corps fameux des Texas Rangers et que j'ai pu apprendre, d'un *deputy* de Melcart, que nous nous trouvions en présence, là, d'un certain Catamount !...

En entendant prononcer ce nom, Stillson fronça les sourcils.

— Catamount !... s'exclama-t-il enfin... C'est un nom que j'ai entendu prononcer déjà à plusieurs reprises...

Puis, haussant les épaules et cherchant à se rassurer, il objecta :

— Le champ d'action des Texas Rangers se situe à la frontière et sur les bords du Rio Grande !... Ce Catamount a certainement d'autres occupatioas que celles de venir s'occuper de nos affaires !...

— J'en accepte l'augure, admit Bill Patterson, mais la présence de ce gaillard et, surtout, l'insistance qu'il met à séjourner à Boise autorisent toutes les appréhensions !...

Un murmure approbateur accueillit cette déclaration. Bill Patterson comprit qu'il avait réussi à inquiéter sérieusement ses voisins.

— Je crois que nous avons été trop empressés à nous emparer du gosse. Si Catamount a décidé de se lancer à sa recherche...

Puis, sans achever sa phrase, le faux Tom Cannon se tournait vers son chef :

— Si vous voulez mon avis, je crois qu'il serait sage d'arrêter toute cette opération jusqu'à nouvel ordre !...

L'aventurier n'attendit pas pour protester :

— Ah çà ! tu perds la raison !... Qu'entends-tu par : « Jusqu'à nouvel ordre » ?

— Je veux dire jusqu'au moment où nous n'aurons rien à craindre de la part du Texas Ranger !...

En dépit des approbations de ses autres acolytes, qui semblaient partager les appréhensions de Bill Patterson, Stillson ne se laissa pas ébranler.

— Hésiter serait une lâcheté ! objecta-t-il d'une voix toujours aussi calme... D'autant plus que c'est là une occasion qui ne se représentera pas et qu'il nous faut saisir coûte que coûte !...

Haussant le ton, il ajoutait aussitôt :

— Nous avons encore une semaine devant nous. Si Patterson est indécis au sujet des chances de réussite qui nous restent, je ne vois aucun inconvénient à ce qu'il se lance sur la piste du ranger. Je le connais assez pour savoir qu'il lui réglera rapidement son compte... Et nous n'aurons plus devant nous aucun obstacle !...

Bill Patterson fit la grimace ; le règlement de cette affaire lui semblait, en effet, beaucoup plus compliqué et moins expéditif que ne l'assurait son chef.

— Voyons, surenchérit Stillson, simplifions les choses et faisons comme si ce Catamount n'existait pas !

Posément, en homme sûr de lui, le chef du *gang* exposait son plan de campagne, que ses quatre acolytes connaissaient déjà en partie :

— A l'occasion de Christmas, et après le réveillon, un grand bal, précédé d'une distribution de jouets aux enfants, doit avoir lieu à l'hôtel de ville de Boise... Les dames seront là, nombreuses, et profiteront de cette solennité pour exhiber leurs plus beaux bijoux. D'autre part, au cours de la nuit, on doit procéder à une vente aux enchères au profit des petits orphelins de l'Idaho ; c'est donc sous-entendre également que les messieurs viendront avec leurs portefeuilles bien garnis.

Les quatre coquins ne cherchèrent pas un instant à interrompre leur chef. Et Stillson de développer tous les plans qu'il avait conçus afin de bénéficier de la surprise et réussir un hold-up qui permettrait à toute la bande de s'approprier un énorme butin...

— Tout est prêt, acheva-t-il. Steve Morand, le concierge de l'hôtel de ville, nous est acquis... En pleine nuit, et pendant que le bal battra son plein, Morand coupera le courant... Nous pourrons alors bénéficier de la bousculade et de l'affolement inévitables pour opérer... Et quand toute cette belle société s'arrachera à sa torpeur, nous serons loin et nous aurons toutes chances de nous mettre hors d'atteinte !...

Des exclamations approbatives accueillirent le projet minutieusement échafaudé. Stillson avait tout prévu ; il put répondre sans ambage aux questions que lui posèrent ensuite ses acolytes.

— Nous ferons en sorte de poster aux différentes issues quelques gaillards de notre *gang* qui faciliteront d'autant mieux notre retraite en temps opportun. Nos chevaux attendront à proximité. Une fois l'affaire réussie, nous n'aurons plus qu'à sauter en selle avec notre butin !... Et, après, en route à fond de train vers les pistes de l'Orégon !...

Bill Patterson, après cet exposé, semblait toutefois plus réticent que ses voisins :

— Tout cela est magnifique, objecta-t-il, mais j'ai l'habitude de toujours compter avec l'imprévu !... Un seul grain de poussière est capable de faire stopper la machine la plus perfectionnée.

— Voyez-moi ce rabâcheur !... ironisa aussitôt Stillson. Si nous l'écoutions, nous ne ferions jamais rien et nous passerions notre temps à nous croiser béatement les bras, comme si les cailles devaient nous tomber toutes rôties du ciel !...

Le faux Tom Cannon haussa les épaules :

— Riez bien tous !... déclara-t-il sans rien abandonner de son flegme. En ce qui me concerne, je crois que mieux vaudrait remettre l'opération à plus tard !

Nick ne put alors se retenir de plaisanter :

— Naturellement !... Il va encore nous parler de Catamount !...

— A quoi bon ? surenchérit Stillson. Catamount

n'est-il pas condamné à mort ?... Et Patterson n'est-il pas chargé de lui faire son affaire ?... Dans ces conditions, il est inutile de se creuser plus longtemps la cervelle !... En huit jours, Patterson aura le temps de régler son compte au ranger !... Après, nous aurons le champ libre devant nous et nous pourrons sans crainte fêter Christmas à notre façon !

Il s'arrêta un instant de parler.

— Et maintenant, proposa-t-il enfin, si l'on se reposait un peu ?...

Au dehors, la bise continait de souffler. Sans plus chercher à discuter, le petit groupe s'empressa de préparer le café. Un bon feu brûlait maintenant dans la cheminée et les cinq hommes, qui s'étaient rapprochés de l'âtre, tendaient et exposaient, grandes ouvertes, leurs mains raidies à la chaleur bienfaisante des flammes.

Au bout d'un moment, sur un signe de Stillson, Nick se leva et s'en fut jeter un coup d'œil à Pierrot qui reposait, étendu dans le refuge voisin.

— Eh bien ? interrogea Stillson en se tournant vers son acolyte, qui venait de reparaître dans l'encadrement de la porte.

— Le gosse dort à poings fermés !...

— C'est heureux, la jeunesse !... murmura le chef. En ce qui nous concerne, nous ne dormons pas toutes les nuits !...

Toutefois, Stillson et ses compères sentaient la lassitude les gagner ; leurs membres s'engourdissaient progressivement. Ils éprouvaient tous le besoin de réparer leurs forces... Quand ils eurent pris un frugal repas composé de biscuits et d'une boîte de saumon en conserve, ils s'étendirent presque en même temps sur leurs couvertures ; au bout d'un moment, un concert de ronflements sonores apprit à Bill Patterson que ses voisins étaient partis pour le royaume des rêves !...

Le faux Tom Cannon s'efforça en vain de suivre l'exemple de ses camarades... Le sommeil ne venait pas. Etait-ce le café un peu fort qu'il venait d'absorber ?

Etaient-ce ses préoccupations ?... Il eût été assez embarrassé pour le dire.

A plusieurs reprises, Bill Patterson se tourna et se retourna sans parvenir à fermer l'œil. Tout près de là, le feu continuait de brûler et le vent rabattait fréquemment la fumée à l'intérieur du refuge.

Par intermittences, au dehors, de lugubres hurlements se mêlaient aux sifflements furieux du vent glacé. Les loups continuaient de rôder par bandes dans le voisinage.

Malgré tout, Bill Patterson ne se sentait pas impressionné par une ambiance qui lui était depuis longtemps familière. Il laissait vagabonder son imagination et certains des propos échangés avec Stillson lui revenaient fréquemment à la mémoire. Bientôt, même, il se surprit en train de prononcer un nom :

— Catamount !

Le faux *cowpuncher* n'était certainement pas de ceux qui reculent devant le danger !... A de fréquentes reprises, au cours d'un passé plutôt orageux, il avait dû affronter des antagonistes d'une certaine envergure ; mais il lui semblait, cette fois, que l'adversaire serait particulièrement redoutable. D'un geste machinal, il caressait de la main la crosse de son colt, qu'il avait laissé à sa portée...

Bill Patterson n'avait jamais eu peur de son existence ; néanmoins, au cours de cette nuit sans sommeil, il ne parvenait pas à dominer de sourdes et obsédantes appréhensions. Tout à l'heure, il n'avait pas précisé à Stillson et à ses acolytes dans quelles conditions il s'était trouvé en présence de l'homme aux yeux clairs... Il se revoyait, chevauchant de conserve avec le ranger...

Depuis que Tom Cannon avait quitté Horseshoe Bend avec Pierrot, il s'imaginait bien que l'autre avait dû agir. Et Catamount se montrerait pour lui un adversaire d'autant plus implacable qu'il lui avait inspiré confiance au début, confiance qu'il avait lui-même trahie en abandonnant furtivement son compagnon.

En dépit de la fidélité que lui témoignaient Stillson et ses autres compères, Bill Patterson se disait que Catamount n'était pas un ennemi comme les autres !... Trompé, il s'efforcerait certainement, par tous les moyens, de prendre une rapide et décisive revanche !... Pour la première fois de sa vie, le faux *cowpuncher* apprenait ce que c'était que la peur !...

Etait-ce illusion ? Bill Patterson se sentait accablé par un grand poids... En vain s'efforçait-il de manifester le même optimisme dont Stillson et les deux autres avaient fait preuve, il lui semblait qu'une mystérieuse intuition l'incitât à pressentir un désastre qui se produirait à très brève échéance...

Non sans anxiété, le faux Tom Cannon se remémorait les circonstances dans lesquelles il s'était trouvé en présence de Catamount et, bien qu'il ne s'embarrassât point de scrupules, il éprouvait encore un sentiment de gêne et d'insurmontable désarroi.

L'aventurier se demandait aussi ce que devenait l'homme aux yeux clairs ?... Comment avait-il pu faire avec Moralès, le borgne et le boiteux ?...

Déjà, au cours de la discussion qui les avait opposés à Horseshoe Bend, l'aventurier avait soulevé un coin du voile et révélé à Catamount qu'il n'était pas Tom Cannon, mais un homme aux gages de Stillson, son farouche et irréconciliable adversaire !... Et c'était cette raison même qui avait incité le faux *cowpuncher* à précipiter les choses...

Moralès, Schutz et Ned avaient-ils réussi à tromper la vigilance du ranger ?... Ce dernier, au contraire, était-il parvenu à les conserver à sa merci ?... Ces deux questions demeuraient actuellement pour lui, et jusqu'à nouvel ordre, sans réponses, mais, quoi qu'il en fût, il conservait une certitude : c'est que le redoutable ranger ne quitterait certainement pas l'Idaho sans lui demander raison de son attitude et de sa trahison !...

Les heures s'écoulèrent ainsi, trop lentes au gré de Bill Patterson.

A tout moment, son imagination vagabondait ; il se rendait compte de la difficulté qu'il aurait à supprimer l'homme aux yeux clairs... Il croyait encore voir le regard d'acier de l'intrépide joueur qui s'attardait sur lui avec une expression indéfinissable, comme s'il eût voulu lire ses plus secrètes pensées !...

Le faux Tom Cannon s'efforçait vainement de réagir ; il comprenait bien qu'il n'aurait ni le courage ni la lâcheté d'attaquer Catamount par derrière et, comme le ranger comptait parmi les meilleurs tireurs du Texas, la situation se présentait pour lui sous un jour plutôt sombre !

Enfin, l'aube vint à poindre, un jour gris et triste se précisa lentement. Ecartant sa couverture, Bill Patterson se leva le premier ; ses voisins continuaient à dormir profondément...

Alors, évitant de provoquer le moindre glissement, le faux *cowpuncher* gagna, en marchant sur la pointe des pieds, le refuge où reposait Pierrot...

Durant un moment, Bill Patterson se pencha sur l'enfant dont il entendait la respiration tranquille et régulière. Pierrot reposait, oubliant, pour l'instant, ses préoccupations et ses craintes. Et le faux Tom Cannon de penser à la mère, atrocement torturée, qui attendait dans l'angoisse, à l'hôtel Lincoln, et, pour la seconde fois, il se sentit obsédé à la fois par le remords et par la honte !...

CHAPITRE XV

— Encore pas de nouvelles ?

— Toujours pas de nouvelles !...

Marie-Claire, qui venait d'entrer dans le bureau du shérif, eut un geste qui trahissait sa détresse et sa profonde lassitude.

— Asseyez-vous, je vous en prie ! proposa Tim Melcart, après avoir introduit sa visiteuse.

Elle se laissa tomber plutôt qu'elle ne s'assit dans un fauteuil ; depuis le matin, l'infortunée souffrait d'une forte migraine ; ses yeux rougis trahissaient qu'elle avait pleuré.

— Voyons, s'exclama le shérif, il faut vous faire une raison !... Tout n'est pas perdu encore !... Plus que jamais, je conserve la conviction que l'on ne tardera pas à le retrouver, votre jeune Pierrot !...

N'en pouvant plus, Marie-Claire éclata en sanglots ; de grosses larmes perlaient entre ses longs cils et venaient couler sur ses joues... En dépit des efforts surhumains qu'elle multipliait pour reprendre tout son sang-froid, elle ne pouvait que mesurer toute son impuissance. L'ignorance dans laquelle elle se trouvait depuis la disparition de l'enfant ne cessait de la torturer et de lui faire ébaucher les pires hypothèses !...

Tim Melcart attardait un regard compatissant sur sa visiteuse. A plusieurs reprises, déjà, il avait tenté de la consoler, mais Marie-Claire demeurait toujours aussi prostrée, aussi angoissée par le sort de son Pierrot. De quelque côté qu'elle se tournât, elle ne trouvait que des raisons de craindre...

— Et Catamount qui n'est pas revenu, lui non plus ! haleta la pauvrette entre deux sanglots.

— Au lieu de vous contrarier, objecta le représentant de l'autorité, cette absence prolongée de Catamount devrait vous sembler d'excellent augure !... Vous n'ignorez pas que ce diable de ranger compte de nombreux succès à son actif !... Quand il s'engage sur une piste, il a la réputation de rattraper toujours son homme !

Puis, comme Marie-Claire hochait tristement la tête, ne paraissant toujours pas convaincue, Tim Melcart surenchérit :

— Croyez-moi, si j'étais à votre place, je ne perdrais pas courage, votre cause ne pouvait être confiée à de meilleures mains !....

La jeune femme ne répondit pas ; alors son interlocuteur d'insister :

— Eh quoi ! douteriez-vous de Catamount ?

La réponse vint, immédiate :

— Grand Dieu ! je sais qu'on peut mettre en lui toute confiance. Mais Moralès est si puissant, il dispose de tant de relations dans tous les milieux que toutes les hypothèses sont permises, même les pires !

— En tout cas, opina Melcart, Moralès fera bien de ne pas paraître à Boise !... Je m'empresserais de lui mettre la main au collet et l'explication que nous aurions s'affirmerait certainement décisive.

Pourtant, en dépit de cet optimisme qu'il affectait, le représentant de l'autorité ne se sentait pas, de son côté, très tranquille. Le silence prolongé du ranger ne lui disait rien de bon.

Comme chaque jour, depuis qu'elle attendait à l'hôtel Lincoln et qu'elle se rendait au bureau du shérif, Marie-Claire éprouvait les mêmes désillusions, et ses craintes

6

s'affirmaient d'autant plus sévères que se prolongeait l'absence de Catamount.

— Une fois de plus, murmura Tim Melcart, à bout de raisonnement, je ne puis que vous conseiller la patience...

Il allait se lever pour reconduire sa visiteuse, quand deux coups violents furent frappés à la porte.

— *Come in !...* répondit-il aussitôt.

La porte s'ouvrit toute grande ; un homme surgit sur le seuil, que le shérif reconnut au premier coup d'œil.

— Omer Brennon !...

Les deux hommes échangèrent aussitôt un vigoureux *shake-hand* et, comme Marie-Claire s'effaçait et se dirigeait vers la porte, Tim Melcart l'arrêta d'un geste :

— Attendez, fit-il. Je vous présente un vieil ami d'enfance : Omer Brennon, trappeur et chasseur de tout premier plan !...

Puis, posant une main sur l'épaule du nouveau venu et le gratifiant d'une amicale bourrade :

— *Hello, boy !...* Nous avons usé ensemble bien des fonds de culotte sur les bancs de l'école !...

Gratifiant Brennon d'une nouvelle bourrade, Tim Melcart s'empressa d'ajouter :

— Depuis l'année dernière, ce grand escogriffe n'avait pas remis les pieds à Boise !... Je commençais à penser qu'il devait s'être fait ermite et même à craindre qu'il n'eût été dévoré par les loups !...

— Impossible, repartit le trappeur avec un grand éclat de rire. Ma carcasse est vraiment trop coriace !... Les loups eux-mêmes se casseraient les dents à vouloir s'en régaler !...

Pendant quelques instants, Marie-Claire considéra Omer Brennon ; depuis que le nouveau venu était entré dans le bureau, une forte odeur de fauve et de cuir avait envahi la pièce.

Certes, le trappeur pouvait paraître un véritable homme des bois. Depuis des mois, il n'était pas passé chez un coiffeur ; ses cheveux gris dépassaient du bon-

net de castor qui lui servait de coiffure, une barbe bien
fournie encadrait son visage, aussi basané que celui
d'un Indien.

— Tu es le premier à qui je rends visite, Tim !...
reprit Omer Brennon. Dès que je suis arrivé à Boise,
j'ai laissé mon paquetage au general store... Il y a
dedans quelques fourrures dont je tiens à faire don à
l'occasion de Noël au Comité des orphelins !...

— Tous mes compliments ! approuva Tim Melcart.
Et mes remerciements pour être venu à moi tout de
suite !...

Le masque rude du trappeur se crispa brusquement
et, avant même que le shérif eût pu l'interroger au
sujet de ce soudain changement, il déclara d'un ton
plus grave :

— Il fallait d'ailleurs que je te voie de toute urgence.

Une fois de plus, Marie-Claire, se croyant importune,
faisait mine de rejoindre la sortie.

— Restez, je vous en prie, insista le shérif. Peut-être
Brennon pourra-t-il nous fournir quelques renseignements au sujet de notre ami ?... En attendant, assieds-
toi, proposa-t-il au nouveau venu, et dis-moi exactement ce qui te tracasse... Si je puis quelque chose...

Pendant quelques instants, ce fut le silence, unique-
ment troublé par les rires et les appels d'une bande
d'enfants qui venaient bruyamment jouer sous les
fenêtres du représentant de l'autorité.

— Allez plus loin, les gosses !... cria bientôt Tim
Melcart, excédé par le tapage qui ne cessait de s'intensifier.

Les interpellés ne se firent pas répéter l'ordre ; ils
s'éparpillèrent comme une volée de moineaux.

— Enfin, murmura le shérif, nous allons pouvoir
parler.

Omer Brennon cherchait dans la contrepoche de sa
parka et, tandis que la jeune femme et son voisin le
considéraient avec un intérêt qu'ils ne parvenaient pas
à dissimuler, il exhiba un portefeuille assez gonflé, puis,

débouclant une ceinture d'armes qu'il portait autour de la taille, il les déposa sur la table...

— A qui appartiennent ces dépouilles ? interrogea le représentant de l'autorité.

De plus en plus intrigué, il désignait les nombreuses photos d'outlaws qui décoraient les murs du bureau et qui représentaient les portraits des criminels dont la capture demeurait mise à prix dans tout l'Etat d'Idaho.

— Aurais-tu mis, par hasard, la main au collet d'un de ces gentlemen ? interrogea-t-il.

Le trappeur secoua négativement la tête :

— Tu n'y es pas pas, mon vieux Tim !... Il n'est pas question de mauvais garçons, mais d'un gaillard qui n'avait pas froid aux yeux et que j'ai rencontré dans des circonstances plutôt mouvementées !...

Marie-Claire détournait maintenant son attention du visiteur pour observer le shérif ; ce dernier commençait à fouiller dans le portefeuille et d'en retirer quelques pièces d'identité plus ou moins salies et froissées.

Et voici que, brusquement, Tim Melcart laissa échapper un nom :

— Catamount !...

La jeune femme ne put retenir alors une exclamation. Mue par une force irrésistible, elle se leva du siège qu'elle occupait depuis quelques instants et se rapprocha du shérif.

Tom Melcart assura l'équilibre de ses lunettes, puis, se penchant sur les papiers d'identité que venait de lui remettre son visiteur, il les étudia avec une attention particulière.

A deux reprises, le shérif regarda encore les papiers. Il n'y avait pas de doute possible, il s'agissait bien là des pièces d'identité que le ranger lui avait déjà exhibées peu de temps après son arrivée à Boise...

— Où as-tu trouvé tout cela ?

D'un geste, Tim Melcart désignait à la fois les papiers et la ceinture d'armes copieusement garnie qui s'étalaient maintenant sur la table.

— Quelque part, au hasard de la piste, expliqua Omer Brennon. Et j'ai pensé que cela pourrait t'intéresser !...

Le représentant de l'autorité se tournait maintenant vers Marie-Claire. Ils échangèrent un regard où se lisaient toutes leurs préoccupations, toute leur angoisse.

Alors, d'une voix moins essoufflée, le trappeur commença son récit : c'était précisément l'avant-veille ; il se disposait à rejoindre Boise, quand son attention avait été éveillée par des hurlements prolongés. Tout d'abord, il s'était arrêté, l'oreille au guet, puis une voix éperdue s'était fait entendre, dominant le lugubre concert des carnassiers.

— Un homme était là, reprit-il, cerné par les loups, à la lisière d'un bois de pins. Soucieux de le dégager, je fonçai et, épaulant mon fusil, je tirai à plusieurs reprises contre la harde... Quelques-uns de ces charognards tombèrent, mortellement atteints, mais, à peine les autres se furent-ils éparpillés que je pus constater que j'arrivais trop tard : l'infortuné avait succombé !...

— Grand Dieu !

Marie-Claire se dressait maintenant, pâle comme un suaire. La nouvelle qu'apportait Omer Brennon faisait brutalement s'effondrer ses dernières espérances. Catamount mort, que deviendrait Pierrot ?

Il semblait, cette fois, à l'infortunée que le lien déjà si ténu qui pouvait la relier à son fils s'était cassé. Et personne ne pourrait plus jamais réussir là où avait échoué Catamount.

Les sourcils froncés, Tim Melcart examinait maintenant la ceinture d'armes et les deux colts qui reposaient dans les étuis de cuir fauve ; il ne pouvait subsister désormais le moindre doute : c'était bien à Catamount qu'appartenaient ces armes qui portaient la marque des Texas Rangers...

— Tu l'as enterré là-bas ? interrogea enfin le shérif d'une voix sourde.

— J'aurais pu ramener son corps, repartit le trap-

peur, mais malheureusement je n'avais pas mon traîneau et mes chiens...

— Il faudra procéder à l'exhumation !... déclara Tim
Melcart. C'est indispensable.

Un sanglot fit se retourner les deux hommes. Marie-
Claire ne parvenait plus à dominer son chagrin.

Omer Brennon ne comprenait pas les raisons de cet
effondrement soudain...

— Elle connaissait Catamount ? interrogea-t-il aussitôt.

Et le représentant de l'autorité de surenchérir :

— Catamount était précisément parti à la recherche
de son fils, mystérieusement enlevé.

— Dans ces conditions...

Il s'immobilisa, ouvrant de grands yeux effarés.

— Si j'avais su... hasarda-t-il encore.

— Tu as bien fait ! approuva Tim Melcart. Tu ne
pouvais évidemment pas savoir !...

Omer Brennon eut un regard navré.

— Madame, balbutia-t-il, excusez ma maladresse... Je
ne pouvais pas me douter...

Mais, loin d'en vouloir au messager funèbre, Marie-
Claire se tournait vers lui, le visage tout mouillé de
larmes ; elle l'interrompit :

— Vous êtes bien sûr, interrogea-t-elle, que c'était
lui ?...

Ce fut Tim Melcart qui répondit :

— Les pièces d'identité découvertes sur le corps ne
sauraient laisser subsister le moindre doute, affirma-
t-il.

Puis, tambourinant nerveusement avec ses doigts sur
la table, il surenchérit :

— Il va falloir aviser le colonel Morley !...

— Alors, que dois-je faire désormais ?...

Marie-Claire attardait sur le shérif un regard empli de
détresse.

Tim Melcart semblait terriblement embarrassé.

— Tout n'est pas perdu, peut-être, hasarda-t-il. En

dépit de la triste nouvelle, il faut espérer encore, espérer toujours !...

Tout en prononçant ces mots, le shérif semblait manquer de conviction ; il se sentait lui-même si profondément pris au dépourvu qu'il avait peine à trouver des mots qui eussent pu à la fois encourager et consoler sa visiteuse.

— Je vais retourner à l'hôtel Lincoln, fit enfin Marie-Claire, d'une voix étranglée par l'émotion.

— Espérez encore ! recommanda Tim Melcart. Je vous tiendrai au courant !...

Ils échangèrent une poignée de main, puis, après avoir essuyé ses yeux rougis par les larmes, la jeune femme quitta la pièce.

La distance n'était pas grande entre le bureau du shérif et l'hôtel où Marie-Claire avait élu provisoirement domicile ; toutefois, l'infortunée ne l'avait jamais trouvée aussi considérable... Sur les trottoirs, elle croisait des groupes ; de nombreux curieux se retournaient sur son passage ; à la voir ainsi s'éloigner d'un pas machinal, le masque altéré par le chagrin et par l'angoisse, tous se rendaient bien compte qu'il s'était passé quelque chose, mais la précipitation de la pauvrette s'affirmait telle que nul ne s'avisa de l'interpeller. D'aucuns préférèrent se rendre chez le shérif pour s'informer.

Enfin, Marie-Claire atteignit l'hôtel Lincoln, évitant de passer devant le *saloon* où s'empressaient déjà de nombreux buveurs, elle emprunta une petite porte basse qui communiquait avec l'hôtel.

— Auriez-vous besoin de quelque chose ? demanda Mrs. Anna, la propriétaire, au pied de l'escalier. Vous semblez souffrante ?...

— Je vous remercie... J'ai la migraine... Un peu de repos me fera du bien !...

— Voulez-vous que j'aille vous chercher des cachets chez le droguiste ?

— Merci !... Vous êtes bien aimable !... Je vais me reposer, cela vaudra mieux !

Sans plus insister, elle prit la clef que lui tendait son interlocutrice, puis elle gravit d'un pas rapide l'escalier qui conduisait aux chambres, toutes situées au premier étage.

Marie-Claire poussa un soupir de satisfaction quand elle atteignit le seuil de son refuge ; elle avait hâte de se retrouver seule, hâte aussi de remettre un peu d'ordre dans son esprit enfiévré... En quelques instants, la clef tourna dans la serrure, la jeune femme porta la main à la poignée ; elle écartait la porte et allait pénétrer dans la pièce quand, soudain, elle s'arrêta : un papier plié avait été glissé auprès du seuil...

Tout d'abord interdite, l'infortunée se pencha et saisit la feuille d'une main que faisaient trembler la surprise et l'appréhension.

En un clin d'œil, Marie-Claire lut le seul mot qui s'étalait, tracé au crayon, en grosses lettres, sur la page blanche :

« ESPEREZ ! »

Espérer ?... A plusieurs reprises, la jeune femme examina l'étrange message qui lui parvenait au moment même où, accablée de chagrin, elle se résignait à croire tout compromis.

L'infortunée mit quelques instants avant de se remettre de la nouvelle surprise qu'elle avait éprouvée ; les lettres semblaient danser devant ses yeux.

— Qui a écrit cela ? haleta-t-elle. Et que signifie ?

Elle eut beau se creuser la cervelle, elle ne parvint pas à résoudre l'étrange problème ; toutefois, son désir de faire la lumière l'emporta sur toute autre considération. Descendant précipitamment l'escalier. elle s'empressa de rejoindre la logeuse.

— Qu'y a-t-il encore ? interrogea Mrs. Anna, visiblement interloquée par la précipitation et par l'affolement auxquels sa pensionnaire semblait en proie.

— Quelqu'un est-il venu me voir tout à l'heure ? interrogea anxieusement Marie-Claire.

La logeuse secoua négativement la tête :

— Je n'ai vu personne !... Nul n'est venu vous demander !...

Puis d'ajouter, indécise :

— Il est vrai que je ne suis revenue que depuis un quart d'heure. Auparavant, je m'occupais de ma lessive... Quelqu'un a bien pu venir en mon absence !...

Mrs. Anna allait interroger encore, se mettre de nouveau à la disposition de son interlocutrice, mais Marie-Claire préféra ne pas insister.

— On reviendra sans doute me demander s'il y a urgence !... se contenta-t-elle de déclarer.

Deux minutes plus tard, elle était de nouveau dans sa chambre, le regard rivé sur l'étrange message qu'elle venait de recevoir et qui lui faisait oublier momentanément l'anxiété qui la tourmentait depuis sa visite à Tim Melcart. Et, toujours, la même question obsédante se posait à son esprit : qui était l'auteur de ce message ?...

Si déconcertantes que fussent les circonstances dans lesquelles l'étrange papier lui était parvenu, Marie-Claire se sentait gagner peu à peu par une impression de réconfort. Tout à l'heure encore, elle se retrouvait isolée et sans défense, mais, maintenant, ce n'était plus, pour elle, la même atmosphère. Elle avait acquis la preuve que quelqu'un s'occupait d'elle.

— Si Catamount n'avait succombé, murmura-t-elle, je croirais que cela vient de lui.

Les difficultés pour résoudre le délicat problème qui se présentait à elle de façon si imprévue ne tourmentèrent plus la jeune femme et, pour la première fois depuis qu'elle avait appris la mort tragique du ranger, elle se sentit renaître à l'espoir...

CHAPITRE XVI

CATAMOUNT FAIT LE MORT

— Pourquoi tarde-t-il tant à revenir ?

Depuis un moment, Catamount ne tenait plus en place ; ses mains gantées de moufles, le col de sa *parka* relevé, il attendait le retour d'Omer Brennon et commençait à trouver le temps long !... D'autant plus qu'il n'avait pas sur lui la moindre cigarette.

Tout autour, dans le bois de sapins où il était venu chercher refuge, un silence total s'appesantissait, que venait troubler seulement, de temps à autre, la chute d'un paquet de neige encore accroché aux branches des grands arbres...

L'homme aux yeux clairs s'exaspérait de se voir ainsi condamné à une immobilité forcée ; à de fréquentes reprises il regardait dans la direction où le trappeur s'était éloigné, trois heures auparavant.

Il ne neigeait pas, mais le ciel était tout rempli de croassements de corbeaux innombrables qui volaient vers le Nord...

De loups, Catamount n'avait pas décelé la moindre piste ; d'ailleurs, la carabine que lui avait prêtée Omer Brennon lui eût permis, le cas échéant, de se défendre et de mettre en fuite les carnassiers. Parfois, le ranger passait la main à la hauteur de sa taille. Quelque chose lui manquait : la ceinture d'armes et les deux colts qu'il avait confiés naguère à son compagnon pour les remettre au shérif.

Toutefois, si l'homme aux yeux clairs se sentait quelque peu dépaysé, il n'oubliait pas que c'était lui-même qui avait élaboré le subterfuge. Au cours du séjour qu'il avait passé dans la cache du vieux Charlie, en compagnie du trappeur qu'il avait si providentielle-ment secouru et préservé d'une mort certaine, Cata-mount avait eu tout le temps d'étudier la situation.

Les récentes mésaventures du ranger, depuis qu'il était arrivé à Boise, lui avaient appris qu'il se trouvait en présence de deux *gangs* des plus dangereux : celui de Stillson et celui de Moralès.

Jusqu'ici, l'âpre rivalité des deux groupes s'était manifestée à différentes reprises. De part et d'autre, il y avait eu des morts, mais la lutte se poursuivait, implaca-ble.

Et quel rôle le faux Tom Cannon avait-il joué dans tout cela ? C'était la question qui se représentait le plus souvent à l'esprit de Catamount. Le ranger ne se con-solait pas d'avoir été manœuvré aussi facilement par l'audacieux Bill Patterson ; à aucun moment, jusqu'au départ du faux *cowpuncher* en compagnie de Pierrot, l'homme aux yeux clairs ne s'était senti effleurer par le moindre soupçon ; aussi en ressentait-il une profonde amertume, qui s'ajoutait au farouche désir de prendre, à bref délai, sa revanche...

Plus que jamais, Catamount souhaitait ardemment retrouver et délivrer Pierrot ; il n'avait pas oublié un seul instant la promesse formelle qu'il avait faite à Marie-Claire... Il ne prendrait aucun répit tant qu'il n'aurait pas remporté la victoire et fait toute la lumière sur cette étrange et ténébreuse affaire !...

Pendant tout le temps qu'il avait passé dans la cache du vieux Charlie, le ranger avait élaboré un nouveau plan. Selon toute évidence, il devait tout reprendre à zéro. S'aventurer au hasard lui semblait désormais une bien mauvaise méthode, d'autant plus qu'il se trouvait en présence d'une bande d'adversaires résolus et qui, conscients de sa présence et des risques dangereux

qu'elle faisait planer sur eux, ne prendraient certainement ni trêve ni repos tant qu'ils le sauraient lancé à
leurs trousses.

C'est pourquoi, après un long examen de la question,
le ranger estima qu'il valait beaucoup mieux qu'il s'ef-
façât et qu'on le considérât comme disparu. Un tel
subterfuge lui permettrait assurément d'agir dans la
coulisse et d'acquérir, par la ruse, des avantages qui
semblaient pour l'instant plutôt aléatoires...

Pour obtenir le résultat qu'il escomptait, Catamount
avait grand besoin du concours du trappeur ; Omer
Brennon n'oubliait pas qu'il lui devait la vie et se montrait enchanté de pouvoir trouver l'occasion de lui
témoigner toute sa profonde gratitude.

Ensemble, les deux compagnons élaborèrent donc un
plan. Catamount confia sa ceinture d'armes et ses deux
colts au trappeur, qui décida de rejoindre Boise et de
fournir au shérif toutes les précisions nécessaires qui
devaient faire croire à la mort tragique de l'homme aux
yeux clairs, attaqué et mis en pièces par les loups...
Etant ainsi porté disparu, l'intrépide jouteur pouvait
espérer une prochaine occasion de prendre les bandits
des deux gangs au complet dépourvu... Après, il s'efforcerait de retrouver Pierrot !...

Catamount se montrait plus que jamais décidé à jouer
son rôle jusqu'au bout ; le seul point noir qui subsistât
dans toute cette affaire était l'affolement auquel se trou-
verait en proie Marie-Claire, qui avait mis en lui toutes
ses espérances !...

A de fréquentes reprises, le ranger évoquait l'émou-
vante entrevue qu'il avait eue, avant son départ de
Boise, avec l'infortunée maman ; le cœur serré, il s'imaginait bien les affres par lesquelles Marie-Claire devait
passer pendant qu'il organisait sa nouvelle manœuvre.

Et Pierrot ?... Que devenait-il dans tout cela ?...
Certes, l'homme aux yeux clairs demeurait bien convaincu que l'existence de l'enfant ne courait aucun danger ; le jeune captif constituait un otage trop précieux

pour qu'on s'ingéniât à lui causer le moindre mal...

Pour l'instant, sauf imprévu, Pierrot demeurait à la merci de la bande Stillson, mais tout incitait à croire que le *gang* rival ne resterait pas sur une aussi cuisante défaite. Selon toute évidence, Moralès chercherait par tous les moyens à emporter la seconde manche et à récupérer son fils.

Catamount s'interrompit de réfléchir : un coup violent faisait s'écarter la porte, et il entendit une voix familière lui crier :

— C'est moi, Brennon !...

Le ranger tendit une main secourable au nouveau venu ; après avoir secoué la neige qui recouvrait sa *parka*, le trappeur s'approcha du feu et exposa ses mains raidies à la chaleur bienfaisante du foyer.

— Eh bien ? interrogea le premier Catamount.

— Tout va pour le mieux !

Omer Brennon s'empressa de relater dans quelles conditions s'était effectué son retour à Boise. Il retraça sa visite au shérif et sa rencontre de Marie-Claire.

— Maintenant, conclut le trappeur, tu peux être tranquille, tout le monde croit mordicus que tu as été dévoré par les loups !... Après ma visite au shérif, je me suis rendu à l'hôtel Lincoln, où je fus assailli par de nombreux curieux. Certains s'affirmaient si empressés que je dus jouer des poings pour me frayer un passage !

— *O.K. !* déclara simplement Catamount, quand son compagnon eut achevé son récit. Il s'agit, maintenant, d'exploiter l'atmosphère ainsi créée et de profiter, pour reprendre la lutte, des occasions qui ne vont certainement pas manquer de se présenter !

— Alors ? demanda à son tour Omer Brennon, que vas-tu faire ?...

Catamount répondit aussitôt, sans la moindre hésitation :

— Je vais à Boise !... Je n'ai, jusqu'ici, que trop tardé !...

— A Boise ?...

Le trappeur, tout en se versant un bol de café, ouvrait de grands yeux interloqués.

— Mais puisqu'on te croit mort, là-bas ?... objecta-t-il.

— Raison de plus, j'aurai toute facilité d'agir.

— Pourtant, s'ils te reconnaissaient ?...

— Ils ne me reconnaîtront pas !...

Le ranger s'exprimait avec tant de force que son interlocuteur ne s'avisa plus de lui opposer la moindre objection.

— La cache du vieux Charlie, reprit alors l'homme aux yeux clairs, renferme toute une garde-robe !... J'ai pu en faire l'inventaire pendant que tu étais à Boise... Dans ces conditions, il sera facile de faire peau neuve...

Puis, désignant son visage qui se couvrait maintenant d'une barbe inculte, Catamount surenchérit :

— Avec des lunettes, je mets quiconque au défi de m'identifier !... D'ailleurs, je ne me hasarderai que si la situation l'exige...

Omer Brennon approuva alors d'un signe de tête et le ranger de lui demander encore :

— Et le papier ?

— J'ai pu me faufiler jusqu'au couloir de l'hôtel Lincoln et le glisser sous la porte...

Ces précisions soulagèrent Catamount d'un grand poids. La détresse dans laquelle l'infortunée maman demeurait plongée lui déchirait le cœur ; il se sentait beaucoup plus tranquille, maintenant qu'il savait que le seul mot qu'il avait griffonné sur une feuille, avant le départ de Brennon pour Boise, devait avoir rendu l'espérance à Marie-Claire.

Les deux hommes prirent un rapide repas, puis le ranger s'empressa d'emprunter une ceinture d'armes et deux colts au dépôt du vieux Charlie.

— Et moi, interrogea alors le trappeur, que ferai-je ?

Catamount hésita pendant quelques instants avant de répondre.

— Tu vas me suivre, déclara-t-il enfin. Tu iras aux

renseignements pendant que je manœuvrerai dans la coulisse !...

— Tout ce que tu voudras !...

Omer Brennon était dévoué corps et âme à celui qui l'avait si courageusement arraché à la mort ; aussi ne présenta-t-il pas la moindre objection. Quelques minutes plus tard, les deux hommes chaussèrent des raquettes et quittèrent la cache du vieux Charlie, qui leur avait été si propice et qui leur avait permis de prendre un indispensable repos avant d'affronter de nouveaux dangers.

Il ne neigeait toujours pas au dehors ; un soleil encore hésitant apparaissait dans le ciel brumeux et maussade.

— Allons-y !... fit simplement Catamount.

L'homme aux yeux clairs était enchanté de revenir à l'action ; la réclusion qu'il s'était lui-même imposée lui avait semblé interminable ; il sentait maintenant la bise coupante qui lui coupait le visage ; devant lui s'étalait l'impressionnante solitude blanche où les corbeaux piquaient d'innombrables points noirs.

Pendant deux heures, ils avancèrent sans hasarder un seul mot ; le ranger s'absorbait dans ses réflexions ; parfois, le trappeur prenait les devants...

Les deux compagnons firent halte au pied d'un grand sapin qui s'inclinait, courbé sous l'épais manteau de la neige. Ils ne prirent même pas le temps de construire et d'allumer un feu, pressés qu'ils étaient de rejoindre Boise avant la tombée de la nuit.

Ils reprirent donc courageusement leur avance, après une demi-heure de pause. Maintenant, les pistes se faisaient plus fréquentes ; toutes convergeaient dans la même direction ; bien qu'ils se sentissent un peu las, ils accélérèrent leur allure.

— Nous arrivons !... cria enfin Omer Brennon en étendant le bras au-delà des pentes.

Boise était là, à moins d'un mille ; la brume l'enveloppait toujours de ses voiles gris...

D'autres groupes apparaissaient maintenant de part et d'autre de la piste ; il s'agissait là de chasseurs ou de trafiquants de fourrures ; les fêtes de Noël étaient proches et beaucoup tenaient à les passer le plus chaudement et le plus confortablement possible, à l'abri des attaques perfides du blizzard.

Enfin, les maisons leur apparurent ; une odeur de fumée imprégnait maintenant l'atmosphère glacée. Ensemble, ils s'arrêtèrent.

— Qu'allons-nous faire ? interrogea, le premier, Omer Brennon.

Et, comme son compagnon esquissait un geste évasif, le trappeur s'empressa de surenchérir :

— Peut-être serait-il plus prudent de nous séparer ! Je connais bien des gens à Boise !... Si tu demeures avec moi, ils pourraient me poser, à ton sujet, des questions gênantes !...

— C'est évidemment fort probable !... approuva l'homme aux yeux clairs.

— D'un autre côté, tu ne peux pas encore te présenter à l'hôtel Lincoln. Certains pourraient te reconnaître !...

— J'en suis également persuadé ! Jusqu'à nouvel ordre, il est indispensable que je demeure dans la coulisse !... Plus que jamais, Catamount doit faire le mort !

A peine arrivèrent-ils donc vers les premières maisons de Boise qu'ils se séparèrent.

— J'irai chez Sam, précisa le ranger. C'est un petit hôtel discret qui n'a pour clientèle que des gens tranquilles.

— Que faire si j'avais à te voir d'urgence ? demanda alors le trappeur.

— Tu n'auras qu'à te rendre à ton tour chez Sam et tu demanderas à voir Bill Lern.

— Bill Lern ?... répéta Brennon en fronçant les sourcils.

— C'est un nom de guerre que j'emprunte pour les

besoins de la cause. Puisque Catamount doit faire le mort jusqu'à nouvel ordre !...

— C'est juste ! approuva le trappeur. A bientôt, donc, et bonne chance !...

— S'il y a du nouveau, tu sauras où me retrouver !...

— A bientôt, donc, et bonne chance !... répéta Omer Brennon.

A peine le trappeur venait-il de prendre congé du ranger qu'il s'entendit interpeller par des voix joyeuses :

— *Hello !...* Ce vieux Brennon !...

— Voilà une éternité qu'on ne s'était pas vus !...

— On vient passer Christmas à Boise ?...

Un groupe de trappeurs et de batteurs d'estrade entoura bientôt le nouveau venu, qui se félicita de s'être séparé de Catamount ; on l'entraîna rapidement vers le « Colorado », où il fit une entrée bruyante.

— C'est moi qui paie la tournée !... s'exclamait un grand diable de trappeur. Ça nous reposera des randonnées interminables sur le *trail*, avec le *blizzard* comme compagnon !...

La nuit commençait de tomber, aussi le « Colorado » s'emplissait-il d'une assistance aussi pittoresque que bruyante.

Non sans avoir louvoyé, les nouveaux venus parvinrent à se frayer avec les coudes un chemin jusqu'au comptoir. Et Omer Brennon put alors s'assurer que de nombreuses affiches venaient d'être apposées sur les murs.

Intrigués, quelques-uns se mirent à lire tout haut, pour informer leurs compagnons illettrés.

— Grand Bal au profit des petits orphelins de l'Idaho !...

— Soirée dansante... Buffet... Attractions diverses...

Des exclamations accueillirent ces annonces et le barman de surenchérir, tout en remplissant les verres :

— Les lots s'amoncellent un peu partout !... Parker a fait don de toute sa provision de « pelu »... Les fourrures sont acceptées comme le reste ! Vous n'aurez qu'à les remettre au comité !...

Ces paroles ne demeurèrent pas sans réponse... Des bras se tendirent...

— J'en apporterai toute une provision !...

— Moi aussi !...

Omer Brennon, à son tour, modula un sifflement :

— Ce sera magnifique, pour sûr !...

— N'en doute pas, *old son of a gun !*... Tout le gratin de Boise et des environs s'entassera dans la grande salle. On commence déjà à la décorer.

Mrs. Anna apparut alors, puis s'adressant à Omer Brennon et à ses voisins :

— Si ces gentlemen veulent jeter un coup d'œil ?...

— Bien volontiers !...

Pareille proposition fut accueillie avec satisfaction et Mrs. Anna, entraînant une vingtaine de ses clients à la démarche plus ou moins sûre, les conduisit jusqu'à la grande salle voisine qui dépendait du « Colorado » et dont les dimensions étaient encore plus vastes que celles de la grande salle de l'hôtel de ville.

A peine les visiteurs eurent-ils pénétré à l'intérieur du refuge qu'ils ne purent retenir des exclamations admiratives... Une bonne odeur de sapin venait agréablement leur chatouiller les narines...

Des guirlandes multicolores et des girandoles s'entre-croisaient au-dessus des têtes. Elles se prolongeaient de long en large jusqu'à la scène qui dressait, au fond, sa rampe rectangulaire. Sur une table, déjà, des lots de toutes sortes s'amoncelaient, disposés par ces dames du Comité de secours aux petits orphelins de l'Idaho.

Omer Brennon était si intéressé et si affairé, en ce moment, qu'il ne vit pas deux hommes qui s'étaient faufilés parmi les curieux ; l'un traînait péniblement la jambe, l'autre avait l'œil droit dissimulé sous un bandeau noir.

Catamount eût été là qu'il n'eût pas hésité à reconnaître tout de suite les deux compères Ned et Schutz,

qui appartenaient à la bande de Moralès et qu'il avait
dû quitter dans des circonstances aussi déconcertantes
qu'agitées.

Le boiteux et le borgne examinaient sans mot dire les
décorations et les plantes vertes. Loin de se montrer
aussi exubérants que Brennon et les autres trappeurs,
ils semblaient étudier avec insistance la disposition des
lieux...

— Il y aura un monde fou, poursuivait Mrs. Anna.
Toutes les places assises sont déjà retenues !...

Cinq minutes durant, elle s'efforça de poursuivre ses
explications. Les deux compères regardaient, silencieux,
et leur curiosité demeurait malgré tout si profondément
accaparée qu'ils n'aperçurent pas un nouvel arrivant qui
venait de se glisser avec les autres.

Le nouveau venu n'eût certes pas été un inconnu pour
Catamount ; fidèle client du « Colorado », Bill Patterson flânait, les mains derrière le dos. Pendant quelques
instants il s'attarda à dévisager tous ceux qui se trouvaient dans son voisinage immédiat. Ses sourcils se
froncèrent quand il identifia le borgne et le boiteux.

« Moralès et sa clique seraient-ils au courant ? » se
demandait-il, inquiet.

Un rapide éclair fit pétiller les prunelles du faux *cowpuncher*.

« Minute ! se dit-il. On ouvrira l'œil... En attendant,
je crois qu'il serait sage d'avertir Stillson.

En quelques secondes, le faux *cowpuncher* disparut
aussi rapidement qu'il était venu.

CHAPITRE XVII

ON SE RETROUVE

— Rien encore !... Toujours rien !...

Catamount commençait à trouver le temps long chez Sam, où il avait loué une chambre.

On était à la veille de Christmas ; dans Boise régnait une effervescence inaccoutumée. Deux fois, le ranger avait reçu la visite d'Omer Brennon, mais le trappeur ne put fournir que quelques vagues indications ; il avait promis d'alerter Catamount dès qu'il se produirait du nouveau et de l'imprévu...

A plusieurs reprises, l'homme aux yeux clairs regretta de n'avoir pas avisé Tim Melcart de sa présence à Boise... L'un et l'autre eussent pu agir d'un commun accord.

Toutefois, à la réflexion, le ranger préféra attendre encore ; plus que jamais, il voulait bénéficier de la surprise et prenait son mal en patience.

Maintenant, l'affluence ne cessait de s'accroître à la veille des fêtes. Des fermiers, des trappeurs venus de la région montagneuse, des *cowpunchers*, affluaient, soucieux d'oublier les durs mois d'hiver dans une atmosphère d'abondance, d'amusement et de gaieté.

Catamount ne demeurait pas calfeutré dans sa chambre ; engoncé sous sa *parka*, dont le col toujours relevé lui dissimulait en partie les traits, il se mêlait à la foule, à travers laquelle il était passé jusqu'ici inaperçu.

En temps normal, la présence d'un étranger n'eût point manqué d'éveiller la curiosité des habitants de Boise ; mais, dans cette ambiance de liesse, les visiteurs étaient si nombreux que le ranger se trouvait perdu dans la masse, et les lunettes noires qu'il portait le rendaient méconnaissable...

Peu à peu, Boise revêtait sa parure de Christmas. De quelque côté qu'on se tournât, en parcourant les rues et les places de la petite cité de l'Idaho, ce n'étaient que guirlandes et girandoles ; des centaines de sapins s'alignaient de part et d'autre de la grand-rue ; chaque bloc de maisons avait son équipe, qui s'empressait de rivaliser de goût avec les décorateurs et avec les habitants des autres quartiers.

Trois fois, Catamount était passé sous la fenêtre de la chambre de l'hôtel Lincoln, où Marie-Claire devait attendre, en proie à une angoisse sans cesse croissante. Sans doute, le bref message qui était parvenu à l'infortunée, quelques jours auparavant, l'avait-il incitée à espérer, mais, depuis, rien ne s'était produit et la mère anxieuse devait sentir s'amenuiser son optimisme.

Et Pierrot ?... Qu'était-il devenu ?... Selon toute évidence, Stillson avait dû mettre en lieu sûr le jeune prisonnier, dont il espérait tirer parti si, comme il était à prévoir, Moralès s'avisait de reprendre ses attaques contre le *gang* rival.

Jusqu'ici, l'enquête engagée par Tim Melcart et ses adjoints n'avait pas abouti ; il serait équitable d'ajouter aussi que le représentant de l'autorité avait fort à faire pour assurer l'ordre aux approches de Noël !... Les ivrognes étaient toujours de plus en plus nombreux et la cellule du shérif serait certainement trop petite pour contenir les délinquants.

Une bonne odeur de résine imprégnait l'atmosphère ; la neige ne tombait plus, mais un petit vent glacial et perfide coupait cruellement les visages. On devait marcher avec précaution sur le sol recouvert d'une épaisse croûte de glace...

Une fois de plus, les mains dans les poches, le col relevé et son bonnet en peau de loutre rabaissé sur ses yeux, Catamount flânait au hasard dans la foule.

En dépit du froid toujours très vif, les groupes ne se lassaient pas de discuter bruyamment, s'interpellant et riant à qui mieux mieux...

L'homme aux yeux clairs s'était arrêté devant une affiche qui donnait le programme des réjouissances ; la vente aux enchères figurait, imprimée en grosses lettres.

— Je crois, fit une grosse voix, qu'il y aura des dollars dans la caisse !...

— Le shérif ferait bien de renforcer son service d'ordre !...

— Avec une dizaine de *deputies*, Melcart ne peut pas faire grand-chose ; il était question de lui envoyer des renforts, mais il n'a pas reçu confirmation et il commence à s'énerver de plus en plus !...

— Il a raison !... Mettez-vous à sa place !...

Catamount ne prêtait qu'une oreille distraite aux propos ainsi échangés par ses voisins. Le programme des fêtes et les embarras de Tim Melcart lui importaient, à vrai dire, assez peu. Il espérait, tout en se faufilant ainsi dans la foule, apercevoir quelqu'un qui pût le mettre sur la bonne piste.

Le ranger s'était arrêté ainsi devant la devanture brillamment éclairée du general store ; l'affluence était là aussi forte qu'en plein jour... Des enfants, le visage collé aux vitres couvertes de buée, admiraient les étalages de jouets... Des sapins agrémentés de boules brillantes et d'étoiles filantes se dressaient de toutes parts. Un énorme Santa Klaus, debout sur son traîneau rempli de joujoux, fustigeait son attelage de rennes, à la profonde satisfaction des bambins qui veillaient, ce soir-là, beaucoup plus tard qu'à l'habitude...

L'homme aux yeux clairs s'arrêta soudain de regarder les enfants dont les exclamations le faisaient sourire. Au premier rang des curieux qui se reflétaient dans la glace, il venait d'apercevoir une silhouette qui retint brusquement son attention... Un nom lui vint aussitôt aux lèvres :

— Bill Patterson !...

Catamount put rapidement constater qu'il n'était pas victime d'une ressemblance. C'était, à n'en pas douter, le faux Tom Cannon, celui-là même qui l'avait si perfidement dupé en enlevant Pierrot.

Pour la première fois depuis son retour à Boise, le ranger comprit qu'il allait enfin pouvoir manœuvrer et reprendre la lutte qu'il avait été contraint d'interrompre par suite de la disparition des hommes des deux *gangs*.

Bill Patterson ne soupçonnait pas la présence du ranger dans son voisinage immédiat. L'étalage de jouets semblait retenir particulièrement son attention. Catamount, qui attendait toujours à la même place, vit soudain le faux cowpuncher se dégager de la foule et pénétrer, en jouant des coudes, à l'intérieur du magasin où s'écrasait une clientèle nombreuse.

« Que va-t-il faire ? » se demanda l'homme aux yeux clairs, toujours profondément intrigué.

Le ranger dut attendre encore un bon moment avant d'être fixé. La buée qui recouvrait les places du magasin ne lui permettait pas de voir ce qui se passait à l'intérieur ; il ne discernait que des ombres vagues, qui se déplaçaient autour des comptoirs, tandis qu'on se bousculait tant pour entrer que pour sortir.

Enfin, Bill Patterson reparut sur le seuil et Catamount put constater qu'il emportait un cheval à bascule.

Le faux Tom Cannon semblait ravi de l'emplette qu'il venait de faire. De grosses gouttes de sueur coulaient le long de son masque rude ; le bonnet qui le coiffait penchait légèrement sur le côté droit.

— Place !... enjoignit-il d'une voix rude. Laissez-moi passer !...

Pendant quelques instants, Bill Patterson se faufila à travers les remous de la foule ; à deux reprises, il se fâcha tout rouge :

— Attention, maladroits !... Vous allez le casser !...

Tout en pestant, il serrait étroitement le cheval contre sa poitrine. Il lui fallut un certain temps pour se dégager.

— Ouf !... s'exclama-t-il quand il se sentit enfin au-delà de la bousculade qui se prolongeait de plus belle.

Du revers de sa manche, Bill Patterson essuya son visage tout luisant de transpiration. Il était entouré par un nuage de vapeur ; la température extérieure contrastait en effet terriblement avec l'accablante chaleur qui régnait à l'intérieur du general store.

Tandis que le faux Tom Cannon reparaissait ainsi, Catamount n'avait pas bougé de la place qu'il occupait au moment même où il apercevait l'acolyte de Stillson. Un peu surpris, il se demandait ce que l'autre pouvait bien vouloir faire avec son encombrant joujou.

Après avoir manifesté une certaine hésitation, Bill Patterson se décida à s'éloigner ; alors, sans plus hésiter, le ranger, qui n'avait pas perdu de vue un seul de ses mouvements, le prit en filature...

En peu de temps, Patterson s'écarta du centre de Boise, encore tout grouillant de monde, pour s'engager à travers une rue latérale.

Usant de mille précautions, Catamount continuait de s'engager dans le sillage de l'aventurier. A deux reprises, le faux Tom Cannon se retourna, contraignant l'homme aux yeux clairs à se rejeter rapidement dans les ténèbres...

L'obscurité qui régnait dans ce secteur contrastait fortement avec l'affluence qui encombrait la grand-rue et les abords des confiseries et des magasins. Bill Patterson s'arrêta trois fois pour souffler un peu.

Catamount se sentait encore terriblement indécis ; celui qu'il continuait de prendre en filature semblant toujours embarrassé de son cheval de bois, il eût pu intervenir, le tenir à sa merci et provoquer une explication qui lui permettrait peut-être d'engager son enquête avec beaucoup plus de chances de succès !...

Le ranger se résigna néanmoins à demeurer encore sur la réserve : attaquer Bill Patterson et le tenir à sa merci, c'était certainement très bien, mais, après, que pouvait-il espérer ?

En attendant encore, au contraire, Catamount espérait que Patterson le conduirait, à son insu, jusqu'au repaire de Stillson et de sa bande.

Le vent glacé continuait de cingler cruellement les visages des deux hommes. La main gantée de moufle du ranger effleura la crosse de son colt... Plus que jamais, il se sentait prêt à l'action...

Bill Patterson s'éloignait toujours d'un pas égal. De part et d'autre de la rue, les habitations se faisaient moins nombreuses... Les lumières étaient rares, la plus grande partie de la population de Boise s'étant rendue au quartier du centre.

Soudain, Catamount tressaillit. Un hennissement venait de se faire entendre à peu de distance dans la nuit...

Au clair de lune, l'homme aux yeux clairs discerna la forme confuse d'un cheval. La bête attendait à peu de distance, attachée à une barre.

Rompant le silence nocturne, la voix rude de Bill Patterson se fit entendre :

— Patience, Star !... Me voilà !...

Le faux *cowpuncher* accélérait son allure. Et, tandis qu'il se dirigeait vers sa monture, tout équipée et sellée, le ranger se préparait à l'action.

Catamount comprenait, en effet, qu'il ne pourrait prolonger sa filature. Dans quelques instants, Bill Patterson s'empresserait de chausser les étriers et d'enfourcher sa monture ; le ranger, qui le suivait avec tant d'obstination, se verrait contraint d'abandonner sa chasse à l'homme.

Déposant auprès de lui, dans la neige, le jouet qu'il venait d'acheter, le faux Tom Cannon commençait de dénouer la longe qui retenait le cheval à la barre quand, brusquement, il sursauta. Une voix forte l'interpellait, troublant le silence de la nuit.

— Pas si vite, *my boy !*... Tu me dois certaines explications !...

Alerté, Bill Patterson allait porter la main à son colt ; son adversaire ne lui en laissa pas le loisir :

— Haut les mains, Patterson ! menaça-t-il. Et n'oublie pas qu'au moindre geste suspect de ta part, je tire ! Et je n'ai pas la réputation de jeter ma poudre aux moineaux !...

— Catamount !...

Le faux *cowpuncher* reconnaissait tout de suite l'homme aux yeux clairs ; sachant bien qu'il ne s'agissait pas là de paroles en l'air, il leva les deux mains, puis il attendit, adossé à la barre.

Le ranger approchait, sans cesser un seul instant de tenir sous la menace de son arme le nouveau venu, dont la silhouette lui apparaissait très nette au clair de lune... Tout auprès, le cheval de bois se détachait, lui aussi, sur le sol couvert de neige glacée...

Sans mot dire, Catamount parvint à moins d'un pas de Bill Patterson. Pris au dépourvu au début, le pseudo-Tom Cannon semblait avoir recouvré tout son calme...

Pendant quelques instants, les deux adversaires se dévisagèrent en silence.

— Eh bien ! s'exclama, le premier, Patterson, excédé par l'expectative qui menaçait de se prolonger. Tire !... Tue-moi, et qu'il n'en soit plus question !...

Un furtif sourire effleura les lèvres minces du ranger.

— Minute !... objecta-t-il tranquillement. Tu devrais savoir que je ne suis pas un assassin !...

Et d'ajouter du même ton tranquille :

— Depuis que je t'ai pris en filature, j'ai eu dix fois au moins l'occasion de t'abattre !... Mais je suis de ceux qui n'attaquent pas leurs adversaires par derrière !...

Puis, avant même que son voisin ait eu le loisir de lui répondre, il lui enjoignit :

— Maintenant, débouc!e ta ceinture d'armes, et plus vite que ça !...

Plus calme, Bill Patterson obtempéra. Catamount s'immobilisait toujours, le doigt sur la gâchette de son colt.

Détachée, la ceinture tomba aux pieds du faux Tom Cannon. Et le ranger, portant la main gauche à la poche de sa *parka*, s'apprêtait à lui passer les menottes, quand Patterson s'élança.

Le ranger chancela : son antagoniste venait de lui décocher un coup de poing au menton.

— Maudit coquin !...

L'assaillant, renouvelant son attaque, allait envoyer Catamount à terre quand, d'un rapide saut de côté, le ranger se déroba.

A ce moment, l'homme aux yeux clairs, qui conservait toujours son revolver dans sa dextre, eût pu aisément rétablir la situation : son adversaire, désarmé, se trouvait à sa complète merci.

— Tu veux te battre ?... A ton aise !... murmura-t-il sourdement.

Et, lançant son colt à quelques pas plus loin :

— Maintenant, cria-t-il, à nous deux !... Les armes sont égales !...

Bill Patterson hésita avant de reprendre le combat. L'attitude du ranger le déconcertait ; mais Catamount ne lui laissa pas le temps de réfléchir :

— Ah çà !... ricana-t-il Aurais-tu la frousse ?...

— La frousse !...

Le faux Tom Cannon se révoltait ; déjà, certains, qui l'avaient traité de lâche, avaient payé de leur vie leur imprudence. Tel un taureau devant une étoffe rouge, il bondit, les poings en avant.

— Tiens !... hurla-t-il, exaspéré. Attrape !...

Cette fois, Catamount ne parvint pas à esquiver l'attaque ; le poing rageur de son redoutable antagoniste l'atteignit rudement au visage. Le sang gicla et se mit à couler de ses narines tuméfiées...

— Répète un peu que j'ai la frousse ! gronda rageusement Patterson.

Le combat se poursuivit avec un implacable acharnement. Tout auprès, le cheval hennissait de terreur et tirait de toutes ses forces sur sa longe, sans toutefois réussir à la rompre...

A mesure que se prolongeait la rencontre, Bill Patterson constatait qu'il se trouvait en présence d'un pugiliste de première force. A différentes reprises, au cours de son aventureuse carrière, en particulier chez les éleveurs du Kentucky, Catamount avait fait preuve, en boxant, d'une véritable virtuosité. Froidement, il « encaissait », dans l'espoir que ces attaques furieuses, tout en exaspérant son adversaire, le missent en état d'infériorité.

Pendant plus d'un quart d'heure, ils continuèrent de s'affronter de la sorte. Ils avaient enlevé leurs *parkas* et leur transpiration devenait telle, en dépit du froid très vif, qu'ils combattaient au milieu d'un véritable nuage de vapeur.

Sept fois, Bill Patterson crut en avoir fini ; sept fois, il s'impatienta à voir son antagoniste résister, tel un roc, à ses attaques les plus acharnées. Catamount encaissait toujours, sans paraître le moins du monde ébranlé...

Le sang coulait abondamment des narines du ranger ; un léger filet filtrait à la commissure de ses lèvres ; son masque énergique, martelé d'ecchymoses, exprimait plus que jamais le désir acharné de vaincre coûte que coûte...

Bill Patterson commençait à s'exaspérer à voir toujours se dresser devant lui le ranger invaincu. Et son exaspération l'amena bientôt à commettre des imprudences qui n'allaient pas tarder à lui devenir fatales.

— *Damn !*... rugit-il. Je finirai bien par t'avoir !

— A ton aise !...

Catamount se préparait maintenant à passer à la riposte. Jusqu'ici, il n'avait fait que se défendre et esquiver les attaques de son farouche antagoniste. Le combat allait passer maintenant par une autre phase, son adversaire paraissant en état de moindre résistance.

Le ranger avait remarquablement combiné sa manœuvre ; à demi épuisé par ses efforts sans cesse répétés, Bill Patterson commençait à fléchir et à perdre le souffle.

— Maudit rascal !... vociféra-t-il.

Menaces et jurons se perdirent dans le bruit des poings retombant sur les chairs déjà meurtries qu'ils martelaient sans pitié. Catamount attaquait l'adversaire qui, aveuglé à moitié, tournait piteusement sur lui-même comme une lamentable toupie.

Perdant l'équilibre, Bill Patterson s'entrava enfin dans le cheval de bois et s'effondra de tout son long, en poussant un sourd grognement.

Le ranger crut alors que son adversaire allait lui demander merci, mais l'autre ne voulait pas s'avouer vaincu ; réunissant toutes ses forces dans un effort suprême, il réussit à se remettre sur pied, tandis que Catamount s'immobilisait, ses poings meurtris toujours en avant, prêt à frapper dès que reprendrait le farouche combat.

Patterson ne se faisait plus beaucoup d'illusions. Le décor environnant, que la lune éclairait de ses rayons blafards, semblait entamer autour de lui une ronde éperdue.

— *Stop !...* hasarda l'homme aux yeux clairs. Mieux vaut en finir !... Tu te rends ?

— Jamais !...

— A ton aise... Tu l'auras voulu !...

Le faux Tom Cannon fonça, le poing en avant... Le ranger déjoua aisément cette dernière attaque ; son bras se détendit avec une déconcertante rapidité.

Bill Patterson poussa un rugissement de rage. Le poing de son redoutable adversaire venait de l'atteindre au creux de l'estomac. Incapable de résister à la douleur, il s'écroula de nouveau, les bras en croix, souillant la neige de son sang.

Cette fois, le combat était fini. Haletant, Bill Patterson voulut tenter de réagir ; ses forces le trahirent enfin.

Pendant quelques instants, le vaincu s'immobilisa, râlant ; la sueur et le sang se mêlaient sur son visage tuméfié. Alors, Catamount, sans se soucier de son propre état, s'agenouilla auprès de son antagoniste.

Bill Patterson esquissa un léger recul ; il s'imaginait que le ranger, implacable, se préparait à le frapper encore. Mais il sentit qu'il essuyait son visage meurtri avec une poignée de neige ; en même temps, de sa voix toujours très calme, le ranger lui murmurait :

— Patterson, tu n'es qu'un imbécile !...

Le vaincu ne répondit pas ; il se sentait à la fois honteux et humilié. La hargne qu'il manifestait depuis qu'il avait été surpris par l'homme aux yeux clairs se transformait en un effarement qu'il ne cherchait plus à dissimuler.

Avec précaution, Catamount continua de laver le visage meurtri. Patterson laissait faire, ne cherchant plus à comprendre, encore tout éberlué, s'abandonnant à une sensation de profond soulagement.

Enfin, il se décida à parler :

— Tu as raison, déclara-t-il à son vainqueur, je ne suis qu'un vieil imbécile !...

Le ranger hocha lentement la tête :

— Te voilà dans un bel état !... Je t'avais pourtant mis en garde !

Puis, comme il se remettait à essuyer le sang qui coulait à la commissure de ses lèvres, l'autre ne put s'empêcher de proclamer :

— C'est égal !... Tu es un chic type !...

— Tu connais sans doute le proverbe : Qui aime bien châtie bien !...

— Au diable ton proverbe ! repartit Bill Patterson. J'avais mérité cette frottée, j'en conviens !... Mais tu n'y as pas été de main-morte !

— Evidemment, on ne quitte pas les amis sans tambour ni trompette, objecta l'homme aux yeux clairs. Et je serais fort curieux de savoir pourquoi tu nous as si gentiment brûlé la politesse, en emmenant avec toi le petit, quand nous étions dans la baraque de Horseshoe Bend ?...

Patterson fit la grimace ; les propos que lui tenait son interlocuteur l'embarrassaient terriblement. Mais les regards interrogateurs de Catamount s'attardaient sur lui avec une impérieuse fixité.

— Pourquoi as-tu enlevé le gosse ? insista avec force l'homme aux yeux clairs. Pourquoi as-tu cherché à me tromper ?

Plus que jamais, le faux Tom Cannon semblait au comble de la gêne et du désarroi.

— Il faut à tout prix que tu me le dises ! insista l'homme aux yeux clairs.

Puis, se penchant plus près encore, il murmura :

— Je sais bien que tu fais partie du *gang* à Stillson. Quand je t'ai rencontré pour la première fois, je croyais que je pouvais avoir confiance...

Désignant alors le cheval de bois qui attendait toujours à la même place :

— C'est pour lui que tu l'as acheté tout à l'heure ?

Bill Patterson secoua affirmativement la tête.

— Tu as deviné, murmura-t-il d'une voix qui tremblait un peu, c'est pour le Noël de Pierrot !...

CHAPITRE XVIII

ON S'EXPLIQUE

Pendant quelques instants, les deux hommes demeurèrent sans mot dire, ne se quittant plus du regard.

Enfin, Catamount rompit le premier le silence :

— Ecoute, Patterson, murmura-t-il, en dépit du mauvais tour que tu m'as joué, je ne crois pas que tu sois un failli chien comme les autres !...

Désignant ensuite le cheval de bois, il s'empressa d'interroger aussitôt :

— C'est Stillson qui t'avait demandé de l'acheter ?...

— Non, ce n'est pas Stillson, interrompit aussitôt le faux Tom Cannon. Je n'ai pas voulu que Christmas s'écoule sans que le gosse reçoive au moins un joujou, comme les autres !...

Le ranger hocha lentement la tête :

— J'ai l'impression, fit-il, que nous pourrons nous entendre...

Et, d'un ton empreint de profonde mélancolie, il ajouta :

— Tu me rappelles quelqu'un qui, il y a bien longtemps, se trouvait à peu près dans le même cas que toi. Après avoir roulé dans l'abîme, il est parvenu à remonter la pente !... Certes, ce ne fut pas aisé tous les jours, mais il a gagné la bataille sur lui-même... Et, maintenant, il peut garder le front haut !...

Bill Patterson continuait d'étancher avec son mouchoir le sang qui souillait son visage meurtri, que les poings du ranger avaient martelé sans merci.

— Maintenant, reprit-il, peu m'importe !... Fais de moi ce que tu voudras... Je suis à ta merci... Tu peux m'abattre !...

Catamount haussa ironiquement les épaules.

— Ne dis donc pas de bêtises !... En cette veille de Christmas, nous avons d'autres chats à fouetter !...

Sans plus s'attarder à se perdre dans d'inutiles considérations, l'homme aux yeux clairs interrogea :

— Tu sais où est le gosse ?...

Le vaincu parut hésiter, mais la voix de son interlocuteur se fit plus impérative :

— Parle ! insista Catamount. Tu n'as pas acheté ce jouet sans savoir...

Bill Patterson parut faire un grand effort sur lui-même.

— Eh bien ! soit... consentit-il. Je vais te conduire jusqu'à lui !...

Portant un doigt à ses lèvres meurtries, le faux *cow-puncher* s'empressa d'ajouter :

— Mais, surtout, il faut se montrer prudent... Moralès rôdait un peu trop près de l'endroit où nous avions emmené le petit... Il a fallu changer de résidence.

Le ranger s'empressa de mettre un terme à la discussion :

— *O.K. !*... Passe devant, tu me montreras le chemin... Mais prends garde, si jamais tu t'avisais de vouloir me fausser compagnie !...

Catamount n'acheva pas sa phrase, mais le geste qu'il esquissa au même instant fit comprendre qu'il ne se laisserait pas prendre au dépourvu.

Patterson prit sa monture par la bride.

— Minute ! objecta le ranger. Le cheval suivra. Occupe-toi d'emporter le jouet... Et n'oublie pas qu'à la moindre défaillance...

— Sois tranquille !... Je n'oublierai pas !... D'ail-

7

leurs, nous n'aurons pas à couvrir une grande distance, c'est à moins d'un mille d'ici !...

L'un derrière l'autre, ils se mirent à marcher au clair de lune ; colt en main, Catamount demeurait toujours sur le qui-vive, mais il semblait que son prisonnier se fût résigné... A aucun moment Bill Patterson n'esquissa le moindre geste, le moindre mouvement suspect.

Quelques minutes plus tard, après avoir contourné un mamelon couvert de neige, les deux hommes aperçurent une lumière qui brillait dans la nuit, droit devant eux, à moins de deux cents pas.

— C'est là ! précisa Patterson.

Puis, se rapprochant du ranger, il murmura :

— Mieux vaudrait pour toi attendre dehors. Shorty est là !... Il ne faut pas qu'il se doute !...

Cette demande parut laisser Catamount quelque peu perplexe.

— Minute !... s'empressa-t-il d'objecter. Tu vas certainement profiter de l'occasion pour déguerpir !...

— Je te donne ma parole que je resterai, quoi qu'il arrive, à ton entière discrétion !... Tu peux me faire confiance !...

Bill Patterson avait prononcé ces quelques mots d'un ton empreint d'une telle sincérité que l'homme aux yeux clairs se laissa fléchir.

— Eh bien ! soit ! admit-il. Je verrai bien si tu n'es pas un parjure et si je puis avoir confiance en toi...

En prenant cette décision, l'homme aux yeux clairs n'ignorait pas qu'il courait de gros risques, mais il était décidé à tenter la chance ; l'intérêt que son prisonnier prêtait à Pierrot l'incitait à espérer que Bill Patterson pourrait abandonner la mauvaise piste sur laquelle il s'était engagé pour choisir la bonne et faire oublier son orageux passé.

— Laisse-moi passer avec le cheval, reprit le faux Tom Cannon. Et, surtout, reste dans l'ombre !... Il ne faut pas que Shorty soupçonne...

Usant de mille précautions, ils se rapprochèrent de la lumière. Une petite maison était là, solitaire, en partie dissimulée par un bouquet de sapins.

Catamount put rapidement constater que des pistes nombreuses se dessinaient maintenant sur la neige ; certaines demeuraient encore toutes fraîches.

— C'est le repaire de la bande à Stillson ? interrogea-t-il en se penchant vers son compagnon.

— Pas précisément, précisa Bill Patterson. C'est une bicoque qui sert parfois de refuge et d'entrepôt... Stillson en possède plusieurs de ce genre dans la région. Cela évite de longs déplacements et permet de se réapprovisionner en vivres et en munitions en cas de coup dur.

Ils s'arrêtèrent de parler, arrivant dans le voisinage immédiat du refuge. Prudemment, sur un signe de son compagnon, Catamount se rejeta dans la zone d'ombre que faisaient les sapins ; puis, toujours nanti de son colt, il attendit.

Bill Patterson allait se diriger vers la barre qui lui permettrait d'attacher son cheval, quand la porte du réduit s'ouvrit toute grande. Une vigoureuse silhouette s'encadra aussitôt dans le rectangle lumineux, en même temps qu'une grosse voix interrogeait :

— C'est toi, Bill ?...

— C'est moi ! répondit aussitôt le nouveau venu.

— Tu en as mis du temps ! ronchonna l'autre. Je commençais à m'inquiéter sérieusement, d'autant plus que le *boss* est passé avant la tombée de la nuit !... Mais qu'as-tu donc ? Tu es blessé ? Tout ce sang...

— Ça ne vaut pas la peine qu'on en parle... On s'est un peu disputés tout à l'heure, au saloon !

Dissimulé dans l'ombre, Catamount vit Patterson pénétrer dans la pièce ; la porte se referma sur les deux compères.

Le ranger se retrouva tout seul dans la nuit. Furtivement, toujours nanti de son colt, il se rapprocha du refuge.

L'homme aux yeux clairs se sentait terriblement anxieux. En cette minute, le sort allait se jouer. Bill Patterson, libéré de sa présence et de sa menace, pouvait fort bien prendre sur lui une retentissante revanche et le tenir à son tour à sa merci.

« Ai-je eu tort de lui accorder toute confiance ? » se demanda-t-il, soucieux.

Par bonheur, les appréhensions du ranger ne se réalisèrent pas ; parvenu auprès de la fenêtre, il s'efforçait de voir ce qui se passait à l'intérieur.

Tout d'abord, la buée qui s'étalait sur les vitres, passablement ternies par la fumée, empêchèrent Catamount de voir, mais les formes confuses des deux occupants du refuge se précisaient ; tendant attentivement l'oreille, le ranger s'efforça de surprendre les propos qu'ils étaient en train d'échanger.

Sans rien abandonner de son calme, Bill Patterson venait d'allumer une cigarette avec Shorty. La tranquillité que manifestaient les deux compères rassura l'homme aux yeux clairs. Jusqu'ici, le faux *cowpuncher* n'avait pas donné l'alerte à son interlocuteur ; à le voir aussi calme, le guetteur nocturne sentit ses appréhensions se volatiliser rapidement.

Toutefois, cette constatation, si rassurante qu'elle fût, n'empêcha pas l'intrépide jouteur de demeurer fermement sur le qui-vive, prêt à parer à tout danger et à toute surprise. Les voix de ses deux voisins lui arrivaient maintenant, assez nettes pour qu'il pût comprendre.

— Tu dis que le chef est venu ? demandait Bill Patterson en continuant de fumer sa cigarette.

— Il voulait te voir pour te donner ses dernières instructions !...

Le faux Tom Cannon parut surpris par de tels propos.

— Alors, l'affaire de Christmas serait-elle remise à l'an prochain ?...

— Pas du tout ! repartit Shorty. Dès la fin de la vente aux enchères, Matt, sous les apparences rassurantes et

débonnaires de Santa Klaus, donnera le signal con-
venu. Les autres seront à leur poste et surveilleront les
issues ; pendant que se fera l'obscurité, le chef et les
camarades s'occuperont de mener rondement l'opération.

— Dans ces conditions, approuva Bill Patterson, l'affaire est dans le sac ! Les autorités et le shérif ne se
doutent de rien ?...

— Tout irait comme sur des roulettes, s'il n'y avait
pas Moralès !

— Comment, Moralès est au courant ?...

Le faux *cowpuncher* semblait quelque peu surpris, et
Shorty de surenchérir :

— Nous sommes une vingtaine qui composons la
bande à Stillson, mais combien pourraient être consi-
dérés comme absolument sûrs ?... Il suffirait que Moralès ou l'un de ses acolytes s'avise de graisser la patte
à certains de nos acolytes ou de les enivrer quelque peu,
pour que les autres coyotes soient au courant. C'est précisément pour cette raison qu'on a dû trimbaler si souvent le gosse !... Moralès, sachant quelle est pour nous
l'importance de cet otage, a envoyé quelques-uns de ses
tueurs à sa recherche. Jusqu'ici, grâce à nos précautions, ils n'ont pas réussi à le retrouver !...

Tapi dans les ténèbres, Catamount n'avait rien perdu
de la conversation qui se poursuivait entre les deux
hommes. Ses regards s'attardaient surtout sur Bill Patterson, dont le calme ne cessait de le rassurer. En dépit
de ses appréhensions, le faux Tom Cannon semblait
décidé à tenir sa parole !

Mais, après s'être arrêtés pour allumer chacun une
seconde cigarette, les deux interlocuteurs se remettaient
à discuter :

— Je vais partir, déclarait Shorty. Mais le *boss* a précisé qu'il comptait absolument sur toi pour surveiller le
gosse. Dommage que tu te sois aussi longuement
absenté pour acheter cette babiole !...

Tout en prononçant ces mots, le coquin désignait le

cheval de bois que Bill Patterson avait déposé tout à
l'heure auprès de la cheminée...

— Nous ne sommes pas là pour faire du sentiment !
reprenait-il ensuite. Un gaillard de ta trempe ne devrait
jamais se laisser attendrir !

Et, comme le faux *cowpuncher* s'étonnait que Stillson n'eût pas eu recours à lui pour mener rondement
l'opération de la salle des fêtes de Boise, Shorty lui
objecta que la mission de gardien qui lui était ainsi
confiée s'affirmait encore plus délicate, étant donné que
Moralès et les gaillards de sa bande devaient mettre tout
en œuvre pour reprendre Pierrot.

Les deux acolytes de Stillson s'entretinrent encore
pendant dix minutes, puis Shorty se leva.

— Maintenant, tu sais ce qui te reste à faire, déclara-t-il tout en enfilant sa *parka*. Tu dois répondre du
gosse, quoi qu'il arrive...

— Je m'occuperai de lui, tu peux en être sûr !...

Bill Patterson appuyait sur chacun de ses mots et,
cette fois, il s'exprimait en toute franchise... Toutefois,
il s'empressa d'interroger :

— Tu ne m'as pas dit où et quand je pourrai revoir
le *boss* ?

— Le *boss* doit revenir ici lui-même, précisa Shorty.
En attendant, tu as pour mission de veiller sur le gosse.
On te dira quand cessera ton rôle de gardien !...

Le faux Tom Cannon ne put réprimer une grimace :

— C'est bien la première fois qu'on me confie un
emploi de bonne d'enfant !...

— Minute !... Si Moralès s'avise de reprendre le
gosse, il y aura certainement du tirage... Et c'est précisément pourquoi cette mission ne saurait être confiée à
n'importe qui !... Avec toi, et en admettant que Moralès
apprenne où se trouve exactement son fils, il y aura certainement du sport !... Et le *boss* te connaît assez pour
être bien certain que tu auras le dernier mot, quoi qu'il
arrive !...

— Dans ces conditions, fit alors Patterson, je n'ai plus qu'à attendre qu'on vienne me relever ?

— Ça n'est pas plus compliqué !...

Shorty était maintenant tout équipé pour le départ ; il s'assura que ses deux colts étaient bien chargés, coiffa son bonnet en peau de castor, puis, après avoir mis ses moufles, il gratifia Bill Patterson d'un rapide *shake-hand*.

— Je prends ton cheval, déclara-t-il en ouvrant la porte. Tu n'en as pas besoin, puisque tu restes ici !

— Prends-le, déclara simplement le faux *cowpuncher*.

Catamount, demeuré toujours dans l'ombre, vit Shorty rejoindre rapidement la monture et sauter en selle. Immobile, il attendit que le cavalier se fût éloigné pour se rapprocher de la porte.

Bill Patterson demeurait encore sur le seul, aussi le ranger s'empressa-t-il de se faufiler à l'intérieur du refuge.

— Ouf !... s'exclama-t-il en venant se planter devant la cheminée où brûlait un bon feu. Je commençais à m'engourdir.

— Cigarette ?...

— Volontiers !...

L'homme aux yeux clairs déboutonnait sa *parka* ; il prit une cigarette dans l'étui que lui tendait son voisin ; ce dernier se planta devant lui :

— Alors ? interrogea-t-il simplement.

— J'avais raison de te faire confiance, convint simplement Catamount. Tu tiens parole !...

— Alors, tu as entendu ?... hasarda l'autre.

— Assez pour me faire une idée des plus nettes de la situation !...

Puis, obsédé par une autre question, il demanda :

— Où est le gosse ?

— Suis-moi ! se contenta de dire Bill Patterson.

Ils avaient baissé le ton ; sur la pointe des pieds, évitant de provoquer le moindre craquement insolite, ils se rapprochèrent d'une porte qui s'ouvrait au fond du refuge.

Le faux *cowpuncher* prit la lampe-tempête qui éclairait la pièce, puis, tout en la brandissant, il s'effaça pour laisser passer Catamount.

Le ranger surprit aussitôt le bruit d'une respiration régulière, dans le réduit qui servait à la fois de sellerie et de magasin à provisions, et il aperçut une forme confuse...

— Pierrot !... murmura-t-il dans un souffle.

Les deux hommes se penchèrent longuement... L'enfant dormait, tranquille, ne soupçonnant pas un instant leur présence.

— Est-il mignon !... chuchota Bill Patterson.

Catamount secoua approbativement la tête.

L'homme aux yeux clairs ne pouvait se défendre d'une profonde émotion au moment où il retrouvait le disparu ; il pensait à Marie-Claire qui attendait à Boise, plus angoissée que jamais sur le sort de son enfant.

— Quand je pense qu'il est le fils de cette canaille de Moralès !...

Bill Patterson prenait le bras de son voisin et le ramenait dans la pièce voisine. Et à peine les deux hommes se furent-ils assis devant le feu que le ranger hasarda :

— Sa maman va être bien contente !...

Une ombre passa dans les regards du faux *cowpuncher*.

— Minute ! objecta-t-il aussitôt. Tu ne vas pas le ramener à Boise ?

— Il le faut ! repartit aussitôt Catamount. La pauvre femme est dans les transes. Et je lui ai promis de le lui ramener le plus tôt possible !...

Une grimace crispa le masque meurtri de Bill Patterson. Il ne pouvait se défendre d'un serrement de cœur à la seule pensée qu'il lui faudrait se séparer de son protégé.

— Nous devons attendre encore, objecta-t-il. Après Christmas... quand l'affaire de la salle des fêtes sera

menée à bonne fin... En attendant, mieux vaut le laisser là, en lieu sûr... Je monterai bonne garde !...

— Je ne doute pas un seul instant de ta vigilance,
surenchérit Catamount. Mais j'estime, pour ma part,
que la pauvre femme a suffisamment attendu...

— Nous sommes tout à fait d'accord, approuva Patterson. Mais il ne faut pas qu'on sache, à Boise, que
tu as réussi à le retrouver... Moralès et Stillson feraient
l'impossible, l'un et l'autre, pour s'assurer la possession
du gosse !... Alors, que deviendrait-il, au milieu de
toute cette bagarre ?... Qui sait si l'un ou l'autre des
adversaires ne s'aviserait pas de l'abattre plutôt que de
le laisser au pouvoir d'irréconciliables concurrents ?...

Catamount comprit le bien-fondé de ces objections.

— J'ai entendu, tout à l'heure, déclara-t-il en se tournant vers son interlocuteur. Il est question d'une opération d'envergure... D'un coup de main à la salle des
fêtes, au cours de la fête, sans doute ?

Bill Patterson se mordit les lèvres. Il lui en coûtait
de trahir Stillson et sa bande ; devinant ses hésitations,
le ranger déclara :

— Que tu parles ou non, je m'empresserai de préve-
nir Tim Melcart. Coûte que coûte, il faut en finir avec
cette situation !... Avertis, nous pourrons limiter les
dégâts et, sans doute, éviter la perte de vies humaines !

Les raisons de Catamount ne tardèrent pas à triompher des réticences de son interlocuteur. Tandis que le
vent nocturne se remettait à souffler au dehors, les deux
hommes s'assirent l'un auprès de l'autre...

Pendant plus d'une heure, ils discutèrent et le ranger
parvint à se faire une idée très nette de la situation.
Quand ils eurent achevé, il se leva :

— Où vas-tu donc ? hasarda Patterson, intrigué.

— A Boise, fit simplement Catamount. Et, en attendant, ne cesse pas de veiller sur le gosse !...

Quelques instants plus tard, le ranger sortait sans que
le faux *cowpuncher* ait pu lui adresser une autre
question.

CHAPITRE XIX

L'HEURE H

— Tout est-il prêt ?...
— Tout est paré !...
— Chacun se trouve-t-il à son poste ?...
— Les issues sont gardées...

Auprès de la grande salle où devaient, après minuit et après les offices religieux, se dérouler les péripéties de la grande nuit de Noël, Stillson prenait toutes les précautions nécessaires pour assurer le succès de son audacieuse tentative.

Le chef du *gang* ne doutait pas un seul instant de sa réussite. Il avait bien des raisons de se sentir optimiste. Tout d'abord, Tim Melcart ne disposait que d'un trop maigre contingent pour pouvoir exercer une surveillance suffisante. Aussi, Stillson demeurait-il convaincu de s'assurer un butin tel qu'il n'en avait jamais encore récolté au cours de sa périlleuse carrière !...

Pour l'instant, la grande salle était vide ; une bonne odeur de sapin et de résine imprégnait l'atmosphère ; guirlandes, drapeaux, voisinaient ou s'entrecroisaient avec les lampions ou les girandoles.

Toutefois, si Stillson et ses acolytes éprouvaient quelques appréhensions, ce n'était point au sujet du shérif et de son dérisoire service d'ordre, mais à propos de Moralès.

Déjà, au cours de l'après-midi, Nick, un des complices les plus habiles de Stillson, avait surpris des

silhouettes suspectes, il avait reconnu quelques membres du gang de Moralès ; aussi, certains de bénéficier
de la surprise concernant les victimes qu'ils se proposaient de dévaliser, les coquins appréhendaient toujours
l'intervention intempestive de leurs concurrents.

Au fond de la salle, Stillson étudiait attentivement la
disposition des lieux. Le rideau de la scène, où devait
avoir lieu la vente aux enchères pour les orphelins de
l'Idaho, était baissé jusqu'à la rampe ; dans les coulisses, on s'empressait de disposer les lots.

Les bandits se souciaient assez peu des pendules, des
meubles ou des provisions que pouvaient gagner les par-
ticipants... Tout à l'heure, sur la place brillamment
illuminée de Boise, ils avaient pu remarquer les bijoux
et les toilettes somptueuses de ceux et de celles qui
constituaient ce qu'on appelle la « belle société » ; la
profusion des pierres précieuses excitait profondément
leur convoitise.

Stillson, malgré tout, continuait de se montrer optimiste ; le plan qu'il avait conçu en plein accord avec ses
acolytes permettait d'espérer une totale réussite.

— Quand sonnera l'heure H, confiait le chef à Nick,
son acolyte, toutes les lumières seront éteintes... Notre
ami Matt, sans éveiller le moindre soupçon, s'est fait
octroyer le rôle de Santa Klaus... Nul ne soupçonnera
sous son déguisement et sous sa fausse barbe qu'il doit
mener le jeu... Les deux colts qu'il dissimulera sous ses
larges manches lui permettront de réduire à résipiscence ceux qui s'aviseraient de vouloir résister. Enfin,
comme nous avons fait garder toute issue, les *bank-
notes* des spectateurs et les bijoux des spectatrices
seront à notre entière merci !

En attendant, Stillson fit s'éparpiller les vingt-deux
gaillards qui devaient participer à cette attaque en
masse, appréhendant d'éveiller les soupçons, et, chacun
de ses complices connaissant le rôle qu'il devait jouer,
il préféra demeurer prudemment à l'écart.

Dès que furent achevés les services religieux à l'église

et au temple, les fidèles sortirent et, dans la nuit glacée, s'empressèrent de rejoindre la grande salle.

En quelques minutes, le vaste refuge put faire penser à une énorme ruche bourdonnante ; les spectateurs s'empressaient de rejoindre leurs places ; Tim Melcart avait peine à serrer les mains trop nombreuses qui se tendaient vers lui ; le shérif avait revêtu, pour cette circonstance, son bel habit noir où se détachait l'étoile, insigne de ses fonctions.

Tandis que l'effervescence ne cessait de s'accroître et que ces dames de la belle société de Boise arboraient bijoux, bagues, colliers et pendentifs, un homme se glissait furtivement en direction des coulisses.

Catamount, au courant des intentions de la bande Stillson grâce aux importantes révélations que lui avait faites Bill Patterson, se préparait de son côté à passer à la contre-attaque.

Tout d'abord, l'homme aux yeux clairs avait pensé avertir Tim Melcart et le mettre au courant de la situation ; mais, à la réflexion, il avait préféré s'abstenir. Le dispositif qu'eût organisé le shérif eût risqué d'éveiller l'attention de ceux qu'il désirait surprendre.

Usant de mille précautions, Catamount se faufila dans les coulisses, aux abords immédiats de la grande salle. A plusieurs reprises il se vit contraint de se dissimuler derrière un portant... Des gens passaient, affairés...

Tout en s'aventurant ainsi, le ranger cherchait un refuge qui lui permettrait d'attendre l'heure H prévue par Stillson et ses acolytes... Un éclair s'alluma dans ses prunelles quand il aperçut les portes des loges entrouvertes.

Un bruit de pas, qu'accompagnait un murmure de voix, fit tressaillir le ranger ; se rejetant brusquement à l'intérieur de la première loge, il s'immobilisa dans l'ombre.

— Alors, c'est bien entendu ?... déclarait une voix brève. Tu sais ce que tu as à faire, *old* Matt ?...

— Vous pouvez être tranquille, *boss !*... Ce n'est pas

pour rien que j'ai décidé de revêtir la grande robe
rouge de Santa Klaus !... C'était Mollier qui devait tenir
le rôle du vieux bonhomme ; une opportune crise de
foie l'oblige à me laisser le remplacer !... Le shérif
ignore tout de ce changement...

— Il croit que Santa Klaus est incarné par un homme
sûr, c'est pour nous l'essentiel... La surprise n'en sera
pour lui que plus complète !...

— O.K. !... approuva le premier des compères, qui
n'était autre que Stillson. Maintenant, tu n'as plus qu'à
t'habiller.

Tout en parlant ainsi, les deux acolytes étaient entrés
dans la loge voisine de celle où s'était introduit Catamount. Une large hotte remplie de jouets attendait dans
un coin. La robe écarlate, bordée de fourrure blanche,
de Santa Klaus attendait, étendue sur une chaise, avec
une fausse barbe et un bonnet fourré.

— Fais vite, insista Stillson. Je voudrais voir si cette
défroque te va !...

Matt s'empressa donc d'enlever ses vêtements et de
passer la grande robe que lui tendait son chef. Hâtive-
ment, il se changea, assujettit la fausse barbe, puis,
bombant le torse, s'exclama en se regardant dans la
glace qui lui faisait face :

— Pas mal, n'est-ce pas ?

Stillson hocha approbativement la tête.

— Mes compliments !... Tu fais un Santa Klaus très
acceptable... Reste à savoir maintenant si tu pourras
t'exprimer correctement ?

— Minute ! repartit aussitôt Matt. J'utiliserai presque dès le début mes meilleurs arguments !... Pas
besoin d'être un beau phraseur pour faire comprendre
au public toute la gravité du numéro supplémentaire
que nous ajouterons au programme !...

Les deux compères dont le ranger avait opportuné-
ment surpris l'édifiant entretien s'empressèrent alors de
se séparer.

— Rendez-vous où tu sais, ajouta simplement le chef du *gang*. Nous y serons avec tout le butin !...

— A tout à l'heure, donc, et bonne chance !...

Ils échangèrent un rapide *shake-hand*, puis le ranger, toujours immobile au fond de son refuge, entendit les pas de Stillson qui s'éloignaient.

« Et maintenant, se dit l'homme aux yeux clairs, au travail ! »

Les propos échangés entre ses deux voisins ne faisaient que confirmer au ranger les précisions que lui avait fournies Bill Patterson, qu'il avait laissé récemment dans la cabane, à la garde de Pierrot.

Catamount était décidé à agir avec une foudroyante rapidité ; hasardant un coup d'œil par l'entrebâillement de la porte, il s'assura que le couloir demeurait momentanément désert, puis, évitant de provoquer le moindre bruit, il assujettit son foulard autour de son visage, pour se dissimuler les traits et, s'emparant de son colt, il s'aventura hors de la loge.

Devant sa glace, Matt s'était mis à chantonner ; il s'amusait à prendre des poses avantageuses, tantôt grimaçant, tantôt souriant, quand, tout à coup, il sursauta. Une silhouette venait en effet de surgir derrière lui, tandis que la porte se refermait sans bruit derrière le visiteur inattendu.

Le bandit allait étendre la main pour s'emparer d'un colt demeuré à sa portée quand une voix qui n'admettait pas de réplique lui enjoignit :

— *Hands up*, Santa Klaus, et vivement !...

D'instinct, le coquin s'empressa d'obéir ; le ton menaçant de l'intrus lui faisait aisément comprendre qu'il ne s'agissait pas là d'une plaisanterie.

— Bonté divine !... s'exclama-t-il.

— Tu feras bien d'éviter de brailler ! ajouta le nouveau venu en prenant la précaution de se munir des deux revolvers que le bandit avait chargés peu de temps auparavant.

Matt s'exécuta encore ; un tremblement agitait ses mains.

Mais Catamount n'avait pas de temps à perdre.

— Vite !... commanda-t-il. Déshabille-toi !...

— Vous voulez que... hasarda le bandit, de plus en plus affolé.

— Enlève ta défroque !...

L'homme aux yeux clairs voulait aller vite, aussi Matt n'insista-t-il plus ; il s'empressa de quitter la robe rouge, le bonnet et la fausse barbe. Il allait hasarder une question, mais le ranger l'empêcha de prononcer un seul mot... Brandissant son colt par le canon, il assena sur la nuque du coquin un coup si violent que l'acolyte de Stillson s'écroula, évanoui.

— Je regrette, murmura Catamount. Il m'en coûte de frapper ainsi un adversaire désarmé... mais, si nous voulons réussir, je n'ai pas le choix des moyens !...

Un paravent était là, au fond de la loge, aussi l'homme aux yeux clairs s'empressa-t-il d'y traîner la victime inanimée et de la dissimuler de son mieux.

— Tout va bien, murmura-t-il enfin. Reste à me déguiser à mon tour en Santa Klaus !...

Catamount s'empressa donc de revêtir la défroque, de se coiffer et d'assujettir de nouveau la fausse barbe. Puis, approchant de lui la hotte remplie de joujoux, il se décida à jouer la difficile partie et de surprendre Stillson et son *gang*, plus certains que jamais de leur victoire.

Les coulisses se peuplaient de plus en plus, le bourdonnement des voix des spectateurs de la grande salle devenait assourdissant. Le ranger avait pris la précaution de fermer la porte de son refuge à clef, quand, tout à coup, il tressaillit : une voix familière se faisait entendre dans le couloir, dominant toutes les autres:

— Vite ! Evacuez la coulisse !

— Tim Melcart !...

Pendant quelques instants encore, le ranger hésita, mais la présence du shérif dans son voisinage immédiat lui fit espérer une issue encore plus rapide qu'il ne le supposait tout d'abord.

Tim Melcart venait à peine de faire évacuer les derniers récalcitrants quand, auprès de lui, s'ouvrit la porte d'une des loges. Déguisé en Santa Klaus, Catamount lui faisait signe de le rejoindre au plus vite.

— Magnifique ! approuva le représentant de l'autorité. Jamais je n'ai vu de Santa Klaus aussi réussi !...

Le shérif n'était pas au bout de ses surprises ; une exclamation effarée lui échappa quand le ranger enleva sa barbe pendant quelques instants.

— Catamount !... haleta-t-il. Que signifie ?...

L'homme aux yeux clairs ne laissa pas son visiteur, malgré lui, achever sa phrase.

— Tout à l'heure, expliqua-t-il, j'hésitais à vous alerter, appréhendant de rendre plus compliquée encore une situation qui s'affirme profondément délicate. Mais puisque la Providence a permis que vous veniez, je n'hésite pas. Nous allons pouvoir réussir un magistral coup de filet.

Catamount s'empressa donc de mettre rapidement Tim Melcart au courant de tout ce qu'il savait concernant l'audacieux coup de main que se proposaient d'accomplir Stillson et ses acolytes.

Bientôt il n'y eut plus une place de libre dans la grande salle où régnait une température étouffante. Déjà quelques impatients commençaient à taper des pieds. Au fond d'une loge qu'il occupait avec trois de ses compères, Stillson commençait à trouver le temps long.

Enfin, le grésillement d'un timbre apaisa les impatients et déchaîna des exclamations satisfaites.

— Silence !... enjoignit une voix impérative.

Et ce furent les trois coups ; lentement, illuminé par les projecteurs, le rideau se leva, et la scène apparut, éblouissante de lumière, agrémentée d'un décor de Noël tout à fait de circonstance.

Stillson s'était redressé, ses regards rivés sur la scène.

— Attention, *my boys !*... murmura-t-il. L'heure H est proche... Préparez-vous à agir !... Observez attentivement ce vieux Matt ! Soyez prêts à agir au signal prévu !

Santa Klaus apparut, salué par de délirantes ovations. Courbé sous sa hotte, il s'arrêtait auprès de la rampe.

— Ce coquin, fit le chef du *gang*, est remarquable !

Les mains dissimulées sous ses larges manches, Santa Klaus souriait sous sa longue barbe blanche, multipliant les sourires et les salutations à l'adresse des enfants nombreux qui s'écrasaient aux premières places.

Stillson et ses trois voisins observaient les rangées de spectateurs qui s'alignaient et qui allaient être contraints tout à l'heure de remettre portefeuilles et bijoux au dangereux gaillard de la bande à Stillson.

Enfin, brusquement, la lumière s'éteignit dans la salle, provoquant aussitôt de violentes réprobations.

— Cette fois, allons-y ! fit Stillson à ses acolytes. C'est le signal.

Le coquin allait s'élancer hors de sa loge et profiter de l'étonnement que provoquait sur le public l'intempestive extinction des lumières, quand il s'arrêta. Deux hommes, qui venaient de se faufiler jusqu'à la loge, se dressaient, colt en main, prêts à lui interdire toute retraite.

— Allons, haut les mains ! commanda Tim Melcart, qui, alerté quelques minutes auparavant par Catamount, s'empressait de prendre l'offensive avec un de ses adjoints.

En quelques instants, l'espoir changea de camp ; avant même que les quatre gredins eussent esquissé le moindre geste de résistance, les lampes se rallumaient. Et Santa Klaus, qui attendait toujours, au bord de la rampe, s'efforçait de rassurer le public qui commençait à s'énerver.

— Au feu !... cria l'un des acolytes de Stillson.

Déjà un mouvement de panique s'esquissait, mais la voix calme du ranger se fit de nouveau entendre :

— Que chacun reste à sa place ! enjoignait Catamount. Et, surtout, que personne ne sorte !...

Stillson, toujours maintenu en respect par le shérif,
n'était pas encore revenu de sa surprise. Il se croyait si
certain de la victoire que cette intervention imprévue le
déconcertait, portant un coup sévère à sa belle audace.
Il voulut protester et se débattre quand un des *deputies*
de Tim Melcart lui passa les menottes.

— Alerte !... hurla-t-il. Sauve qui peut !...

Il allait s'efforcer d'avertir ses comparses quand la
voix rude de Catamount retentit, plus impérieuse que
jamais :

— Je répète encore : que personne ne sorte !...

Le ranger s'était libéré de sa défroque de Santa Klaus.
Il apparaissait maintenant le visage tout luisant de
transpiration, étreignant dans ses mains ses deux colts,
prêt à abattre les récalcitrants.

— Mais, enfin, qu'y a-t-il ?

— Que se passe-t-il ?

De plus en plus nombreuses, les questions fusaient à
l'adresse de l'homme aux yeux clairs ; mais, abandonnant la scène, Catamount s'empressa de sauter dans la
salle.

— Place !... enjoignit-il à plusieurs reprises. Laissez-
moi passer !...

Des discussions s'engageaient maintenant auprès des
différentes issues où Stillson avait posté des acolytes.
Avertis à temps, quelques-uns avaient réussi à décam-
per, mais les autres se heurtaient à quelques solides
gaillards et à des adjoints de Tim Melcart.

L'audacieuse tentative de la bande à Stillson se sol-
dait par un échec complet. Pendant quelques heures
encore, le nettoyage se poursuivit dans Boise, alors
qu'avait lieu la vente aux enchères.

Toutefois, si les spectateurs recouvraient leur calme
et pouvaient surenchérir sans courir le risque d'être
dévalisés, Catamount ne perdait pas un instant. Maintenant que la grande majorité du *gang* se trouvait sous

les verrous, il allait se hâter de mener à bien la promesse qu'il avait faite à Marie-Claire.

Dans la nuit glacée de Noël, le ranger voulait maintenant retrouver et ramener Pierrot, rendre le petit à sa maman, ainsi qu'il l'avait si formellement promis.

Catamount n'avait pas de peine à s'orienter au clair de lune ; il allait à pas rapides.

Le vent glacé soulevait parfois la neige en tourbillons qui aveuglaient à demi le rôdeur nocturne, mais l'homme aux yeux clairs hâtait le pas, impatient de retrouver Pierrot, qu'il avait laissé à la garde de Bill Patterson.

Tout en marchant, Catamount songeait à Marie-Claire ; quel plus beau cadeau de Noël pouvait-il remettre à l'infortunée que de lui rendre son enfant ?

Enfin, le ranger aperçut la lumière qui avait déjà, naguère, guidé ses pas. Il approchait du refuge à demi dissimulé par les sapins quand il tressaillit soudain : plusieurs coups de feu venaient de retentir, qui semblaient tirés à l'intérieur même du refuge.

Anxieux, l'homme aux yeux clairs précipita son allure...

CHAPITRE XX

— Alors, c'est pour moi que le petit Jésus a fait envoyer ce beau cheval ?

— C'est pour toi, petit Pierrot !... Il l'a confié à Santa Klaus qui est venu lui-même le déposer devant la cheminée !...

— C'est vrai !... Santa Klaus est un domestique du petit Jésus !...

L'enfant serrait étroitement contre lui le joujou. Auprès de lui, Bill Patterson ne se lassait pas de le regarder, tant s'affirmait profonde sa joie d'avoir satisfait son jeune compagnon.

Mais Pierrot — sans remarquer, si grande était sa joie, le masque meurtri de son compagnon — d'ajouter, en désignant le feu qui continuait de brûler dans l'âtre et entretenait une douce chaleur dans la pièce :

— C'est égal !... Il faut qu'il soit bien malin, Santa Klaus !... Comment a-t-il pu apprendre que je me trouvais là cette nuit ?

Pierrot s'étonnait à juste titre ; depuis que le faux Tom Cannon l'avait emmené vers Stillson, il n'avait jamais passé plus d'une nuit au même endroit... Le chef du *gang*, appréhendant non sans raison une riposte de la part de Moralès, s'efforçait de conserver à sa merci l'enfant, qui constituait un précieux otage et qui pou-

vait permettre de tempérer les intentions combatives de
son redoutable concurrent...

Le jeune prisonnier ne cherchait plus à comprendre ;
au début, il avait réclamé avec insistance qu'on le ren-
dît à sa mère, mais ses ravisseurs avaient fait la sourde
oreille et l'infortuné se fût abandonné au plus complet
désespoir s'il n'avait eu après de lui Bill Patterson.

En peu de temps, Pierrot avait compris qu'en son voisin il avait trouvé un ami fidèle et un protecteur avec
qui il fallait compter.

— Sois tranquille, avait assuré le faux Tom Cannon à
plusieurs reprises, tu la reverras bientôt, ta maman !...
Aussi vrai que je suis près de toi en ce moment !

Pour l'instant, l'enfant semblait avoir oublié le danger qu'il courait et sa situation plutôt délicate ; réveillé
au cours de la nuit, il avait aperçu le jouet que son gardien avait disposé auprès de la cheminée, et maintenant, enchanté, il passait et repassait sur le cheval une
main caressante.

— Je vais l'emporter pour qu'il couche avec moi ?
demanda Pierrot.

— Eh ! oui, emporte-le, approuva Bill Patterson.

L'aventurier avait quelque peine à dominer sa profonde émotion ; il se sentait en proie à un sentiment
indéfinissable ; la joie d'avoir consolé l'enfant se mêlait
au remords que lui causait un ténébreux passé...

Soudain, le faux *cowpuncher* tressaillit ; instinctivement, il porta la main à la crosse de son colt.

Pierrot, lui aussi, n'avait pu réprimer une exclamation inquiète :

— On vient !... haleta-t-il en se rapprochant de son
compagnon comme s'il eût cherché à lui demander pro-
tection contre un grave péril.

Tout d'abord, Bill Patterson s'imaginait qu'il s'agissait là de Nick ou de quelque autre membre de la bande
à Stillson.

Pendant quelques secondes, l'homme et l'enfant
s'immobilisèrent, le visage soucieux, le cœur battant.

Enfin, un coup violent se fit entendre, ébranlant la porte :

— Allons, ouvre !... fit une grosse voix. C'est de la part du *boss* !...

Bill Patterson semblait terriblement indécis.

— Que veut-il, le *boss* ? interrogea-t-il, plus méfiant que jamais.

— Ouvre !... C'est trop long !... Il faut que nous t'expliquions !...

Le faux Tom Cannon sortit le colt de son étui, puis, faisant signe à Pierrot de regagner en toute hâte la couchette qu'il occupait dans le réduit voisin, il s'en fut vers la porte et en repoussa le loquet.

— *Come in !...* déclara-t-il simplement. Mais attention, s'il s'agit là d'une manœuvre, je possède les arguments nécessaires pour vous répondre !

— Dépêche-toi, sinon tout est perdu !... surenchérit au dehors une autre voix.

Bill Patterson s'imagina tout de suite que l'opération projetée dans la grande salle de Boise avait tourné court par suite de l'intervention inattendue de Catamount, alerté par ses soins.

Une silhouette se faufila à travers l'entrebâillement, puis une autre, une autre encore...

La lampe-tempête qui pendait à la grosse poutre du plafond éclairait vaguement les nouveaux venus ; tout d'abord, Bill Patterson, qui demeurait toujours sur le qui-vive, ne put discerner les traits des intrus, dont les cols de fourrure étaient relevés jusqu'aux oreilles.

— Qui êtes-vous ? interrogea-t-il enfin, sans cesser de tenir les visiteurs nocturnes sous la menace de son colt.

Pierrot, gardant toujours avec lui le cheval de bois, attendait au fond de son étroit réduit, les regards rivés sur le mystérieux et inquiétant trio...

Tout à coup, l'enfant poussa une sourde exclamation : à la clarté capricieuse de la lampe, il venait de reconnaître Moralès.

Bill Patterson, de son côté, avait identifié le coquin ; il se préparait à tirer pour repousser toute attaque, quand une détonation retentit, accompagnée d'un fracas de verre brisé.

Aussitôt, l'obscurité la plus épaisse se fit dans le refuge.

Dès lors, les événements se déroulèrent à si rapide cadence que l'enfant n'eut pas le temps de comprendre. De nouveaux coups de feu éclatèrent, tirés de part et l'autre. Des jurons et des cris de rage accueillirent ces détonations.

A la vague clarté du foyer, Pierrot aperçut deux silhouettes qui s'écroulaient, pendant que deux autres se rejetaient dans l'ombre.

Bousculée, la table tomba en provoquant un assourdissant fracas.

— Maman !... lança l'enfant d'une voix éperdue. Petite maman !...

— Silence, le gosse !

Pendant quelques secondes, ce fut le silence. Les deux adversaires qui continuaient de s'affronter dans le noir se dissimulaient de leur mieux, chacun s'efforçant d'éviter de servir de cible à l'autre.

Pierrot pleurait éperdument, continuant de presser contre lui le cheval de bois... Il essayait de repérer l'endroit où se trouvait son ami quand, brutalement, de nouvelles détonations retentirent.

— *Damn !...* rugit une voix sourde. Ce maudit coyote...

La phrase ne fut pas achevée. De sa place, Pierrot discerna une sorte de râle.

Epouvanté, l'infortuné tremblait de tous ses membres ; il n'entendait plus, maintenant, qu'une respiration sifflante.

Indécis, l'enfant ne savait plus quoi penser, quand il se sentit assailli par de nouvelles appréhensions. Un nouveau coup retentissait, frappé contre la porte.

— Ouvrez ! enjoignit une voix énergique.

Plus mort que vif, Pierrot se garda bien de répondre. Alors, sous la poussée d'un violent coup d'épaule, la porte s'écarta, une silhouette surgit sur le seuil, laissant pénétrer avec elle une rafale de vent glacé.

Alors, l'enfant se redressa, laissant échapper un cri de délivrance ; il identifiait la voix du nouveau venu, qui lui était familière et qui lui rappelait un passé encore tout récent.

— Au secours !... cria-t-il, éperdu.

— Pierrot !... Dieu soit loué !...

Catamount, qui venait d'entrer, attiré par les coups de feu qui s'étaient succédé à l'intérieur du refuge, intervenait à son tour.

— Où es-tu, petit ? interrogea-t-il.

— Là !... précisa aussitôt l'interpellé. Près de la cheminée !...

Mais, au moment même où le ranger se disposait à le rejoindre, Pierrot s'empressa de le mettre en garde :

— Attention !... cria-t-il. Ils vont te tuer !...

Pareille perspective ne parut pas impressionner le nouveau venu ; sans souci du danger, il enjamba deux corps étendus sur le sol en terre battue, puis il s'en fut s'accroupir auprès de son jeune protégé.

— Ne crains rien !... assura-t-il. Je serai là, désormais, pour te protéger et pour te rendre à ta maman !

Pierrot sentit sa détresse disparaître aussitôt. Catamount s'exprimait avec une telle conviction et il éprouvait pour lui une telle confiance qu'il oubliait la sanglante tragédie qui venait de se dérouler sous ses yeux, se sentant comme soulagé d'un grand poids.

Soudain, l'enfant s'arracha à la torpeur qui l'immobilisait depuis un moment.

— Et Bill ? hasarda-t-il. Pourvu qu'ils ne l'aient pas tué !...

L'homme aux yeux clairs s'était rapidement redressé. Prenant un tison encore embrasé dans la cheminée, il s'efforçait de faire un peu de lumière et de se rendre compte du résultat de la sanglante bagarre.

Le ranger n'eut pas de peine à identifier les deux corps qu'il venait d'enjamber pour porter secours à son jeune protégé. Il s'agissait de Ned le boiteux et de Schutz le borgne.

Catamount put s'assurer tout de suite que les deux compères étaient désormais hors d'état de nuire. Justice était faite !... Mortellement atteints par les balles de Bill Patterson, ils avaient succombé l'un et l'autre... A deux pas plus loin, un troisième corps gisait, replié sur lui-même ; c'était celui de Moralès qui, lui aussi, avait accompagné ses deux acolytes dans l'au-delà !...

A peine le ranger venait-il d'identifier la troisième victime de ce combat sans merci qu'il surprit une plainte légère.

— Patterson !... appela-t-il. C'est toi ?

Un faible gémissement répondit seul et Catamount découvrit à son tour le faux *cowpuncher*. Il s'immobilisait, adossé contre la table qu'il avait lui-même renversée au cours de la bagarre.

— Du courage, *my boy !*... Rassure-toi, c'est moi !... précisa l'homme aux yeux clairs en prenant la main moite de l'infortuné.

— Occupe-toi plutôt du gosse, murmura le blessé d'une voix à peine perceptible. Je le sens bien, j'ai mon compte. Alors, à quoi bon ?

Il s'arrêta de parler, épuisé par l'effort qu'il avait été contraint de fournir. De grosses gouttes de sueur coulaient sur son visage couvert d'ecchymoses. Un bref examen permit à Catamount de constater que son voisin avait reçu deux balles en pleine poitrine.

— Tu vois, reprit Bill Patterson dans un souffle, il est inutile de perdre ton temps avec moi !... D'un instant à l'autre, ce sera fini.

Puis, devançant le nouveau venu, qui s'apprêtait à lui répondre, il surenchérit :

— Après tout, mieux vaut qu'il en soit ainsi !... J'aurai payé ma dette quand je me présenterai devant le Souverain Juge !...

— Ne parle pas, objecta le ranger. Tu te fatigues inutilement !...

— *Pshaw !*... Un peu plus tôt... un peu plus tard...

— Tais-toi et bois !

Tout en prononçant ces mots, l'homme aux yeux clairs avait pris un bidon qu'il conservait toujours sur lui et le portait aux lèvres du blessé.

— Bois ! répéta-t-il simplement.

Avec l'aide du ranger, Bill Patterson réussit à avaler quelques gorgées de rhum. Un soupir lui échappa.

— Tu as raison, remercia-t-il, ça fait tout de même du bien !

Et, désignant le visage de Catamount, presque aussi meurtri que le sien :

— Quand je pense que nous nous sommes battus l'un et l'autre comme des chiens hurlants !...

Le ranger eut un geste vague.

— A quoi bon parler encore de tout cela, objecta-t-il simplement. C'est de l'histoire ancienne !... D'autant plus que, grâce à toi, Tim Melcart et les autres ont pu procéder à un magnifique nettoyage !...

Arrêtant d'un signe le blessé qui cherchait à parler encore, l'homme aux yeux clairs s'empressa de le mettre au courant de la situation et de lui raconter les événements qui s'étaient passés à Boise.

Tandis que Catamount l'en informait, le masque rude du blessé se détendait.

— Dieu soit loué !... murmura-t-il enfin. Ma mort n'aura pas été inutile.

Et, les regards embués, Bill Patterson de surenchérir :

— Dommage que tu n'aies pas emmené avec toi un prêtre !... J'aurais pu procéder, de mon côté, à un autre nettoyage qui s'imposait !

— Si tu as le ferme regret de tes actions, objecta le ranger, tu peux avoir quand même confiance en la miséricorde de Dieu !...

— Puisse-t-Il me pardonner !... Un misérable : voilà ce que j'étais... Et maintenant...

Bill Patterson se tut ; il avait trop abusé de ses forces ; pendant un moment, il demeurait immobile, le visage inondé par une sueur froide. De grands cernes entouraient ses yeux ; parfois, il laissait échapper un râle, balbutiait quelques paroles incompréhensibles.

— Le gosse, haleta-t-il enfin. Je veux le gosse !...

Pierrot s'empressa, le corps secoué de sanglots, le visage mouillé de larmes.

— Tu ne vas pas mourir, au moins ? interrogea-t-il, éperdu.

— Peu importe ! repartit le moribond. L'essentiel est que tu ailles retrouver ta maman, et cela tout de suite... quand tu le voudras !...

Pendant quelques secondes encore, les doigts moites et fiévreux de Bill Patterson se refermèrent autour de la main de son jeune protégé.

— Pierrot !... *My boy !...* Dis... tu n'oublieras pas cette vieille canaille de Patterson ?...

— Je n'oublierai pas ! promit-il à son tour dans un sanglot.

Ces paroles parurent provoquer un soulagement infini chez le moribond, dont les regards ne se détachaient plus de l'enfant.

Enfin, un sursaut secoua tout entier Bill Patterson. Ses lèvres remuèrent presque imperceptiblement et, seul, l'enfant put surprendre ses dernières paroles :

— Pierrot... *my boy...* si tu savais combien je regrette...

Ce fut tout ce que l'agonisant réussit à murmurer... Brusquement, sa tête retomba en arrière, le corps s'agita dans un dernier spasme.

— Patterson !... haleta l'enfant, au comble de l'émotion.

Catamount s'empressa de fermer les yeux du mort.

— Disons une prière pour lui, fit-il ensuite. Après,

nous irons à Boise retrouver ta maman, qui t'attend avec impatience !...

Ensemble, ils s'inclinèrent et prièrent, puis Catamount, ayant aligné côte à côte les corps des quatre hommes qui s'étaient si implacablement combattus, prit Pierrot dans ses bras, le souleva et, quelques instants plus tard, après avoir chaudement enveloppé son jeune protégé dans une couverture, il l'emportait au dehors.

Ce fut un beau Noël, cette nuit-là, pour Marie-Claire. L'infortunée avait assisté à la messe de minuit et, le cœur rempli de tristesse, avait rejoint sa chambre de l'hôtel Lincoln. Elle se sentait étrangère à toute cette ambiance d'allégresse et de renouveau ; une même question, implacablement obsédante, se représentait toujours à son esprit désemparé : où était Pierrot en cette nuit de liesse ?... Le reverrait-elle jamais ?...

Auprès de la cheminée, en souvenir du disparu, l'infortunée maman avait organisé une crèche avec les santons retrouvés, que lui avait remis le shérif. Le cœur serré, Marie-Claire évoquait ce qu'aurait pu être cette nuit de Noël, si son petit eût été là !... De grosses larmes perlaient entre ses longs cils. Elle n'entendait pas les joyeux échos de la fête nocturne.

Pendant des heures, la pauvrette s'immobilisa, prostrée, et ce fut ainsi que le sommeil la prit, sans qu'elle pût se douter des heures agitées que connaissait Boise et des événements qui s'étaient déroulés dans la grande salle voisine de l'hôtel Lincoln.

Aussi Marie-Claire crut-elle rêver quand, à la fin de la nuit, un coup frappé à sa porte l'arracha à son assoupissement.

— Qui est là ? interrogea-t-elle, redevenue subitement méfiante.

— C'est moi, petite maman !... répondit aussitôt une voix enfantine.

— Pierrot !...

En un clin d'œil, le visage amaigri de l'infortunée

s'épanouit ; sa joie ne connut plus de bornes quand, après avoir ouvert la porte, elle sentit son fils qui se blottissait éperdument dans ses bras.

— Joyeux Noël ! fit alors une voix rude.

Marie-Claire s'arrêta de couvrir de baisers et de caresses son enfant enfin retrouvé. Sa surprise et son allégresse s'affirmaient tels qu'elle ne s'était pas aperçue de la présence de Catamount qui, fidèle à sa promesse, lui ramenait enfin le disparu.

— Vois, maman !... Le beau cheval !...

Pierrot tenait le joujou de Patterson, dont il n'avait pas voulu se séparer depuis son départ de la cabane tragique.

— Excusez-moi ! déclara alors Marie-Claire en tendant la main à l'homme aux yeux clairs. Ma surprise et ma joie ont été telles que je ne sais plus exactement où j'en suis !... Je me demande si je n'ai pas perdu la raison et si je ne suis pas la dupe d'un trop beau rêve ?

Puis, reprise encore par une nouvelle appréhension, elle ajouta :

— Mais Moralès ?...

— Soyez pleinement rassurée !... affirma l'homme aux yeux clairs. Moralès ne fera plus de mal à personne !... Il ne cherchera plus à vous séparer de votre enfant !... L'heure du châtiment a sonné pour lui !...

Catamount empruntait un tel ton en prononçant ces paroles que Marie-Claire comprit qu'elle pouvait avoir désormais confiance. Son calvaire touchait enfin à son terme... Le cauchemar était fini !...

Mais Pierrot s'arrachait à l'étreinte de sa maman enfin retrouvée. Il venait d'apercevoir la crèche et les santons.

— Ils sont revenus !... s'exclama l'enfant en battant joyeusement des mains. Tu vois combien j'ai eu raison de faire comme le Petit Poucet !...

Et, tandis qu'il s'extasiait, le ranger, ravi d'avoir pu provoquer tant de joie, attardait ses regards sur la bande de toile que Marie-Claire avait disposée au-dessus de l'humble étable où venait de naître l'Enfant-Dieu :

Gloire à Dieu dans le Ciel
et paix sur la terre aux hommes de bonne volonté.

Imp. J. Téqui, 3 *bis*, rue de la Sablière, Paris (France). - 810-12-1958
O. P. L. N° 31.0251.
Dépôt légal n° 1304. Volume déposé dans le 4ᵉ trimestre 1958.

Prochain volume à paraître :

CATAMOUNT
CHEZ LES MORMONS